G000107988

Le
Livre
de
Poche
Jeunesse

UNE PETITE PRINCESSE

FRANCES HODGSON BURNETT

UNE PETITE PRINCESSE

Traduit de l'anglais
par Michel Laporte

1

Sarah

Un sombre jour d'hiver où le brouillard jaune était si épais et si dense sur les rues de Londres que les lampadaires étaient allumés et que les éclairages au gaz des vitrines étincelaient comme en pleine nuit, une petite fille à l'air étrange était assise avec son père dans un fiacre qui avançait lentement dans les avenues et les boulevards de cette ville.

Elle était assise les pieds repliés sous elle et s'appuyait contre son père qui l'enserrait d'un bras tandis que, par la fenêtre, elle fixait les passants avec, dans ses grands yeux, un sérieux surprenant.

Cette fillette était si jeune que personne ne se serait attendu à un tel regard dans ce petit visage. Il aurait déjà semblé en avance sur son âge chez une fille de douze ans, or Sarah Crewe n'en avait que sept. En fait, elle était toujours en train de penser ou de rêver à quelque chose au point qu'elle était incapable de se rappeler une époque où elle n'aurait pas pensé aux adultes et au monde qui était le leur. Il lui semblait qu'elle avait déjà vécu longtemps, longtemps.

À ce moment-là, elle se remémorait le voyage qu'elle venait de faire depuis Bombay avec son père, le capitaine Crewe. Elle revoyait le vaisseau, les lascars [1] qui allaient et venaient, les enfants qui jouaient sur le pont où il faisait chaud et ces quelques femmes d'officiers qui s'efforçaient de la faire parler et qui riaient de ce qu'elle disait.

Plus particulièrement, elle songeait comme il était étrange d'être passée du soleil éblouissant des Indes et de l'océan à ce véhicule inconnu roulant dans des rues inconnues où le jour était aussi sombre que la nuit. Elle jugea cela si déroutant qu'elle se serra encore un peu plus contre son père.

---

1. En français, le terme désigne, au sens propre, un matelot engagé clandestinement. Il vient de l'hindoustani et les colons anglais des Indes l'employaient pour leurs serviteurs indigènes. (N.d.T.)

— Papa, dit-elle d'une petite voix basse qui était presque un murmure. Papa !

— Qu'y a-t-il, ma chérie ? répondit le capitaine Crewe en l'attirant contre lui et en se penchant vers elle. À quoi pense ma petite Sarah ?

— Est-ce que c'est « l'endroit » ? souffla-t-elle en se pelotonnant plus fort contre lui. C'est ici, n'est-ce pas ?

— Oui, petite Sarah. Nous y sommes enfin !

Et, malgré ses sept ans seulement, elle sut qu'il se sentait triste en disant cela.

Il lui parut que cela faisait des années qu'il avait commencé à la préparer à « l'endroit » comme elle l'appelait toujours. Sa mère était morte à sa naissance ; comme elle ne l'avait pas connue, elle ne lui avait jamais manqué. Son père jeune, beau, riche et aimant semblait être le seul parent qu'elle avait au monde. Ils avaient toujours joué ensemble et ils s'aimaient beaucoup. Elle savait qu'il était riche parce qu'elle avait entendu des gens le dire en pensant qu'elle n'écoutait pas ; elle les avait également entendus dire qu'elle serait riche, elle aussi, quand elle serait grande. Elle ne comprenait pas ce que voulait dire « être riche ». Elle avait toujours vécu dans une belle maison, et elle avait pris l'habitude d'être entourée de domestiques qui la saluaient cérémonieusement, qui l'appelaient « mam'selle sahib » et qui lui donnaient raison en toutes circonstances. Elle avait eu des jouets et des animaux familiers et une aya qui l'adorait, et, petit à petit, elle avait appris que les gens qui sont riches disposent de ce genre de choses. C'était toutefois tout ce qu'elle en savait.

Au cours de sa jeune vie, une seule chose l'avait troublée ; cette chose c'était « l'endroit » où on l'emmènerait un jour. Le climat des Indes était très mauvais pour les enfants ; aussitôt que possible, on les éloignait, habituellement en les envoyant à l'école en Angleterre. Elle avait vu d'autres enfants s'en aller, et elle avait entendu des pères et des mères parler des lettres qu'ils recevaient d'eux. Elle avait appris qu'il lui faudrait y aller à son tour, et même si, certaines fois, les histoires que racontait son père sur le voyage et le pays étranger lui avaient plu, elle avait eu de la peine en pensant qu'il ne pourrait pas rester avec elle.

— Tu ne pourrais pas venir à « l'endroit » avec moi, papa ? demandait-elle quand elle avait cinq ans. Tu ne pourrais pas aller à l'école toi aussi ? Je t'aiderais pour les devoirs !

— Mais tu n'auras pas à y rester très longtemps, ma Sarah chérie, avait-il toujours répondu. Tu iras dans une jolie maison où il y aura quantité d'autres petites filles, vous jouerez ensemble, je t'enverrai toutes sortes de livres, et tu grandiras si vite qu'on aura l'impression qu'il t'aura fallu à peine un an pour devenir assez grande et assez savante, et pouvoir rentrer t'occuper de papa.

Elle avait aimé penser à ça. Tenir la maison pour son père, monter à cheval avec lui, occuper la place d'honneur, à table, quand il donnerait des dîners, lui parler et lire ses livres, ce serait ce qu'elle aimerait le mieux au monde. S'il était indispensable d'aller d'abord dans « l'endroit », en Angleterre, pour y parvenir, il fallait qu'elle se fasse à l'idée d'y aller. La compagnie d'autres petites filles ne la séduisait pas particulièrement mais, si elle avait beaucoup de livres, elle parviendrait à se consoler. Elle aimait les livres plus que tout autre chose et, en réalité, elle était toujours en train d'inventer de belles histoires et de se les raconter. Quelques fois, elle les avait racontées à son père et il les avait aimées tout autant qu'elle.

— Eh bien ! papa ! dit-elle doucement, si nous y sommes, je suppose qu'il nous faut nous résigner.

Il rit du sérieux excessif de ses propos et l'embrassa. En réalité, il n'était pas du tout résigné lui-même bien qu'il sût qu'il devait garder ses sentiments secrets. Sa petite Sarah avait été une exquise compagnie et il sentait qu'il serait tout à fait seul une fois que, de retour aux Indes, il rentrerait à la maison en sachant qu'il ne devrait plus s'attendre à voir sa petite silhouette en robe blanche accourir à sa rencontre. Aussi la serrait-il fort contre lui tandis que le fiacre s'engageait sur une place triste et grise avant de s'immobiliser finalement devant la maison qui était sa destination.

C'était une vaste bâtisse de briques monotones, exactement identique à toutes ses voisines mais dont la façade portait une plaque de cuivre sur laquelle était gravé, en lettres noires :

MISS MINCHIN
PENSIONNAT SÉLECT POUR JEUNES DEMOISELLES

— Nous y voici, Sarah ! dit le capitaine Crewe en faisant sonner cette annonce aussi joyeusement que possible

Puis il sortit du fiacre, la prit dans ses bras. Ils montèrent les marches et sonnèrent. Par la suite, Sarah songea souvent que la maison était à l'image de Miss Minchin. Elle était respectable et bien meublée mais tout y était horrible. Et les fauteuils eux-mêmes semblaient rembourrés avec des os. Dans le hall, tout était dur et encaustiqué ; même les joues en vernis rouge de la lune sur la grande pendule placée dans un coin avaient une allure sévère. Le sol du salon dans lequel ils furent introduits était recouvert d'un tapis à motif quadrangulaire, les chaises étaient carrées et une lourde horloge en marbre était visible sur la lourde cheminée de marbre.

En s'asseyant sur une inconfortable chaise droite en acajou, Sarah jeta autour d'elle un des coups d'œil dont elle était coutumière.

— Je n'aime pas ici, papa, dit-elle. Mais il faut dire que les soldats, même les plus braves, n'aiment pas aller à la bataille.

Le capitaine Crewe éclata de rire. Il était jeune et plein de fantaisie ; jamais il ne se lassait des étranges formules que trouvait sa fille.

— Oh ! petite Sarah ! dit-il. Que vais-je faire quand je n'aurai plus personne auprès de moi pour me parler avec solennité ? Personne n'est aussi solennel que toi !

— Mais pourquoi les choses solennelles te font-elles rire ? demanda Sarah.

— Parce que tu es si amusante quand tu les prononces, répondit-il en riant de plus belle.

Puis, soudain, il la prit dans les bras et l'embrassa très fort. Il ne riait plus du tout et il semblait même que des larmes lui venaient aux yeux.

Ce fut juste alors que Miss Minchin entra. Sarah trouva qu'elle était comme sa maison : grande et sinistre, et respectable et laide. Elle avait de grands yeux de poisson froid et un grand sourire de poisson froid. Ce devint même un très grand sourire quand elle vit Sarah et le capitaine Crewe.

Elle avait entendu dire beaucoup de bien du jeune officier par la dame qui lui avait recommandé l'école pour sa fille. En particulier qu'il s'agissait d'un père très riche désireux de dépenser quantité d'argent pour sa petite fille.

— Ce sera un réel privilège d'avoir en charge une enfant aussi gracieuse et aussi prometteuse, capitaine Crewe, dit-elle en prenant la main de Sarah et en la caressant. Lady Meredith m'a avertie de ses dons exceptionnels. Une enfant douée est une bénédiction pour un établissement comme le mien.

Sarah restait silencieuse, les yeux fixés sur le visage de Miss Minchin. Elle pensait à quelque chose d'étrange et de peu commun.

« Pourquoi dit-elle que je suis une enfant gracieuse ? Je ne suis pas gracieuse du tout. La fille du colonel Grange, elle, est gracieuse. Elle a des fossettes, les joues roses et de longs cheveux couleur d'or. Moi j'ai des cheveux bruns courts et les yeux verts ; en plus j'ai le menton trop fin et pas du tout joli. Je suis une des petites filles les plus laides qui soient. Elle commence à raconter des histoires. »

Elle avait tort, toutefois, de croire qu'elle était laide. Certes, elle ne ressemblait pas le moins du monde à Isabelle Grange qui était la mascotte du régiment, mais elle avait un charme très spécial et bien à elle. C'était une créature souple et mince, assez grande pour son âge avec un visage expressif et avenant. Ses cheveux abondants et très bruns bouclaient seulement à leur extrémité. Ses yeux étaient vert-gris, c'était vrai, mais il s'agissait de grands yeux avec de très longs cils noirs et, si elle-même n'en appréciait pas la couleur, beaucoup d'autres gens l'aimaient. Toutefois, elle était très sûre d'elle quand elle considérait qu'elle n'était pas jolie, en sorte qu'elle n'était pas dupe des flatteries de Miss Minchin.

« Si je prétendais qu'elle est gracieuse, je raconterais des histoires, pensait-elle, et je saurais que je raconte des histoires. Je pense qu'à ma façon je suis aussi laide qu'elle. Pourquoi a-t-elle dit ça ? »

Quand elle connut mieux Miss Minchin, elle sut pourquoi. Elle découvrit qu'elle racontait les mêmes choses à tous les papas et à toutes les mamans qui venaient lui confier leur enfant.

Sarah se tenait debout près de son père et écoutait tandis qu'il parlait avec Miss Minchin. Elle avait été conduite dans cette pension parce que les deux petites filles de Lady Meredith y avaient été éduquées et parce que son père avait beaucoup de considération pour l'expérience de Lady Meredith. Sarah allait être ce qu'on appelle une pensionnaire et jouirait de privilèges encore plus grands que ceux dont jouissent habituellement les élèves de cette catégorie. Elle aurait une jolie chambre individuelle avec son petit salon ; elle aurait un poney avec sa carriole et une bonne qui prendrait la place de l'aya qui s'était occupée d'elle aux Indes.

— Je ne m'inquiète pas le moins du monde au sujet de ses études, dit le capitaine Crewe qui riait de son rire joyeux tout en caressant la main de sa fille. Le plus difficile sera de l'empêcher d'apprendre trop de choses trop vite. Elle reste toujours assise, le nez fourré dans des livres. Elle ne les lit pas, Miss Minchin, elle les dévore, comme si elle était un petit loup, pas une petite fille. Elle en veut toujours d'autres et exige qu'il s'agisse d'ouvrages pour les grands, de gros livres bien épais, en français, en allemand aussi bien qu'en anglais, de l'histoire, des biographies, de la poésie et tout ce genre de choses. Tirez-la de ses livres si elle lit trop. Faites-lui monter son poney dans l'allée ou envoyez-la en ville s'acheter une nouvelle poupée. Elle devrait jouer à la poupée plus souvent !

— Papa, dit Sarah, tu vois, si je sortais acheter une poupée tous les deux ou trois jours j'en aurais plus que je peux en aimer. Une poupée doit être une amie intime. Émilie va être une amie intime.

Le capitaine Crewe regarda Miss Minchin et cette dernière lui rendit son regard.

— Qui est-ce, Émilie ? demanda-t-elle.

— Dis-le-lui, Sarah ! dit le capitaine en souriant.

— C'est une poupée que je n'ai pas encore, répondit-elle.

Tandis que Sarah parlait, son regard gris-vert semblait à la fois solennel et doux.

— En fait, poursuivit-elle, c'est une poupée que papa va m'acheter. Nous allons sortir pour la trouver. Je l'ai baptisée Émilie. Elle sera mon amie quand papa sera parti. Je la veux pour parler de lui avec elle.

Le grand sourire obséquieux de Miss Minchin devint véritablement très flatteur.

— Quelle enfant originale ! dit-elle. Quelle adorable petite créature !

— Oui, dit le capitaine Crewe en attirant Sarah contre lui. C'est une adorable petite créature. Prenez bien soin d'elle pour moi, Miss Minchin.

Sarah demeura à l'hôtel avec son père pendant quelques jours ; en fait, elle resta avec lui jusqu'à ce qu'il s'embarque à nouveau pour les Indes. Ils sortirent visiter beaucoup de grandes boutiques ensemble et achetèrent quantité de choses. Bien plus, en réalité, que Sarah n'en avait besoin. Mais le capitaine Crewe était un homme impulsif qui voulait pour sa petite fille tout ce qu'elle admirait et tout ce qu'il admirait lui-même. Tant et si bien qu'à eux deux ils constituèrent une garde-robe beaucoup trop importante pour une fillette de sept ans. Il y avait des robes en velours bordées de fourrures coûteuses, des robes en dentelle, des robes brodées, des chapeaux avec de grandes plumes d'autruche ondulantes, des capes et des manchons en hermine, des boîtes de gants fins, de mouchoirs et de bas de soie, le tout en si grande quantité que les jeunes vendeuses, de l'autre côté du comptoir, en voyant cette curieuse petite fille avec ses grands yeux solennels, se disaient qu'elles avaient sûrement affaire à une princesse étrangère, peut-être même à la fille d'un maharadjah.

Ils finirent par trouver Émilie mais ils durent visiter de très nombreux magasins et y voir de très nombreuses poupées avant de la découvrir.

— Je veux qu'elle ait l'air de ne pas être vraiment une poupée, disait Sarah. Et je veux qu'elle donne l'impression qu'elle écoute quand on lui parle. Tu sais, papa, ajoutait-elle en penchant un peu la tête tout en réfléchissant, l'ennui avec les poupées c'est qu'elles donnent l'impression qu'elles n'entendent jamais ce qu'on leur dit.

Ils virent de grandes poupées et des petites, des poupées, avec des boucles brunes et des nattes blondes, avec les yeux noirs et avec les yeux bleus, des poupées habillées et d'autres sans habits.

— Tu vois, dit-elle en examinant une poupée qui était dévêtue, si, quand je la trouve, elle n'a pas de vêtements, nous pourrons la conduire chez un couturier et lui en faire coudre sur mesure. Ils lui iront forcément beaucoup mieux.

Après être allés de déception en déception, ils décidèrent de descendre du fiacre, qui les suivrait, et de continuer à pied, pour pouvoir regarder les vitrines.

Ils étaient déjà passés devant deux ou trois magasins sans même y entrer quand, alors qu'ils approchaient d'une boutique qui n'était pas bien grande, Sarah eut un sursaut et serra le bras de son père.

— Oh ! papa, s'écria-t-elle. Voici Émilie !

Ses joues avaient brusquement rosi et dans ses yeux gris-vert il y avait la même expression que si elle venait de reconnaître quelqu'un dont elle avait longtemps été proche.

— En réalité, elle est en train de nous attendre, dit-elle. Entrons vite !

— Dieu du Ciel ! dit le capitaine Crewe, il me semble qu'il faudrait que quelqu'un nous présente !

— Tu me présenteras et je te présenterai, répondit Sarah. Mais comme j'ai su que je la connaissais au premier regard, il est possible qu'elle me connaisse aussi.

C'était peut-être bien le cas, après tout, car elle eut dans le regard une expression complice quand Sarah la prit dans ses bras. C'était une poupée grande mais qu'on pouvait porter facilement ; elle avait des cheveux brun doré qui bouclaient naturellement et lui retombaient sur les épaules comme une capuche ; ses yeux étaient d'un gris-bleu à la fois clair et profond, avec des cils qui étaient de vrais cils, pas des cils simplement peints.

— C'est sûr, papa, dit Sarah en examinant la poupée qu'elle tenait sur les genoux. C'est sûr : Émilie, c'est elle !

Si bien qu'Émilie fut achetée puis conduite chez un couturier pour enfants où on prit ses mesures en sorte de lui constituer une garde-robe aussi variée et riche que celle de Sarah. Elle eut des robes de dentelle, elle aussi, et des robes de velours et de mousseline, sans parler des chapeaux et des manteaux, et de superbes sous-vêtements ornés de dentelle, et des gants, des mouchoirs, des fourrures...

— Je voudrais qu'elle semble toujours être la fille d'une bonne mère, dit Sarah. Je suis sa mère même si je vais faire d'elle une compagne.

Le capitaine Crewe aurait énormément aimé

faire tous ces achats s'il n'y avait pas eu cette pensée triste qui lui pesait sur le cœur. Ils signifiaient qu'il serait bientôt séparé de sa charmante petite camarade chérie.

Il se leva au milieu de la nuit qui suivit pour aller regarder Sarah qui dormait avec Émilie dans les bras. Les cheveux bruns de la fillette s'étalaient sur l'oreiller où ils se mêlaient à ceux brun doré d'Émilie. Toutes les deux portaient une chemise de nuit rehaussée de dentelle et toutes les deux avaient de longs cils qui se courbaient gracieusement au-dessus de leurs joues rondes. Émilie ressemblait tellement à un enfant que le capitaine Crewe fut heureux qu'elle soit là. Il exhala un long soupir et tortilla sa moustache avec une expression enfantine.

« Aie ! aïe ! ma jolie Sarah, se dit-il à lui-même, je ne crois pas que tu puisses te figurer à quel point tu vas manquer à ton papa ! »

Le lendemain, il la conduisit chez Miss Minchin et l'y laissa. Il devait embarquer le matin suivant. Il expliqua à Miss Minchin que ses hommes de loi, MM. Barrow et Skipworth, qui se chargeaient de ses affaires en Angleterre, lui donneraient tous les renseignements qu'elle souhaiterait et qu'ils payeraient toutes les factures qu'elle leur présenterait pour les dépenses de Sarah. Il lui écrirait deux fois par semaine et il voulait qu'on donne à la fillette tout ce qui pourrait lui faire plaisir.

— C'est une petite créature très sensée qui ne demande jamais rien qui ne serait pas bon pour elle, dit-il.

Puis il accompagna Sarah dans son petit salon personnel et ils se dirent au revoir. Sarah s'installa sur ses genoux, prit les revers de son manteau dans ses petites mains et le dévisagea longuement en silence.

— Tu es en train de m'apprendre par cœur, ma petite Sarah ? demanda-t-il en lui caressant les cheveux.

— Non, répondit-elle, je te connais déjà par cœur. Tu es dans mon cœur.

Elle passa les bras autour de son cou, il la serra très fort contre lui et ils s'embrassèrent comme s'ils n'allaient plus jamais se lâcher.

Le fiacre s'en alla, s'éloigna de la maison. Assise sur le plancher de son salon, les mains sous le menton, Sarah le suivit des yeux jusqu'à ce qu'il ait tourné le coin de la place. Émilie était assise près d'elle et le regarda partir, elle aussi. Quand Miss Minchin envoya sa sœur, Miss Amélie, voir ce que la fillette faisait, celle-ci ne parvint pas à ouvrir la porte.

— Je l'ai fermée à clef, dit poliment une

étrange petite voix depuis l'intérieur. Je voudrais rester tout à fait seule, s'il vous plaît.

Miss Amélie était une petite femme boulotte qui avait terriblement peur de sa sœur. Des deux, c'était elle qui avait le meilleur naturel mais elle ne désobéissait jamais à Miss Minchin. Elle redescendit, l'air passablement inquiet.

— Je n'ai jamais vu de fillette aussi étrange et aussi différente des autres. Elle s'est enfermée et ne fait pas le moindre bruit.

— Cela vaut mieux que si elle se roulait par terre en hurlant, répliqua Miss Minchin. Je m'attendais plutôt à ce qu'elle mette la maison sens dessus dessous, gâtée comme elle l'est. Parce que si quelqu'un est habitué à ce qu'on lui cède en tout, c'est bien elle !

— J'ai ouvert ses malles pour mettre ses affaires en place, poursuivit Miss Amélie. Je n'ai jamais rien vu de pareil : zibeline et hermine sur ses manteaux et authentique dentelle de Valenciennes sur ses vêtements de dessous. Tu as vu ses vêtements ? Qu'en penses-tu ?

— J'en pense qu'ils sont tout simplement ridicules, répondit Miss Minchin aigrement. Mais ils feront très bel effet, au premier rang, quand nous conduirons les fillettes à l'église, le dimanche. On l'a pourvue en habits comme si elle était une petite princesse.

En haut, dans le salon fermé à clef, Sarah et Émilie étaient assises par terre et continuaient de regarder le coin de la place où le fiacre avait disparu avec, à l'intérieur, le capitaine Crewe qui s'était retourné et qui faisait « au revoir » de la main en envoyant des baisers comme s'il ne pourrait jamais plus s'arrêter.

2

Une leçon de français

Quand Sarah entra dans la salle de classe, le lendemain matin, tout le monde posa sur elle de grands yeux pleins d'intérêt. À ce moment-là toutes les élèves, de Lavinia Herbert, qui avait treize ans et se considérait comme une grande, à Lottie Legh, qui en avait tout juste quatre et était le bébé de l'école, toutes avaient déjà pas mal entendu parler d'elle.

Elles savaient de façon certaine qu'elle était l'élève vedette de Miss Minchin et qu'elle était considérée comme une aubaine pour la pension. Deux ou trois d'entre elles avaient même déjà aperçu la bonne française, Mariette, qui était arrivée la veille. Lavinia s'était arrangée pour passer devant la porte de Sarah alors qu'elle était ouverte et avait vu Mariette ouvrir un gros paquet qu'on venait d'apporter d'une boutique.

— Il était plein de jupons avec des volants de dentelle par-dessus d'autres volants et encore des volants, murmura-t-elle à son amie Jessie tout en se penchant sur son manuel de géographie.

— Je l'ai vue les secouer pour les défroisser, ajouta-t-elle. Et j'ai entendu Miss Minchin dire à Miss Amélie qu'ils étaient trop luxueux pour quelqu'un de son âge. Ma grand-mère dit toujours qu'une enfant devrait être habillée simplement. Elle porte un de ces jupons en ce moment. Je l'ai vu quand elle s'est assise.

— Elle porte aussi des bas de soie, souffla Jessie en se penchant, elle aussi, sur son livre de géographie. Et quels pieds petits elle a ! Je n'en ai jamais vu d'aussi petits !

— Oh ! renifla Lavinia, l'air dépité, c'est dû à la façon dont ses pantoufles sont faites. Ma mère dit qu'on peut faire paraître petits de grands pieds pour peu qu'on s'adresse à un bottier habile. Je ne la trouve pas jolie du tout. Ses yeux sont d'une couleur si bizarre !

— Elle n'est pas jolie de la façon habituelle, répondit Jessie en lançant un coup d'œil de l'autre côté de la classe, mais elle donne envie de la regarder et de la regarder encore. Elle a des cils incroyablement longs mais ses yeux sont presque verts.

Sarah était tranquillement assise à sa place en attendant qu'on lui dise ce qu'elle devait faire. On l'avait placée près du bureau de Miss Minchin. Elle n'était pas décontenancée par toutes les paires d'yeux qui la surveillaient. Elle était juste intéressée et, en retour, regardait tranquillement les enfants qui la dévisageaient.

Elle se demandait ce à quoi elles pouvaient bien penser, si elles aimaient Miss Minchin, si elles s'intéressaient à leurs leçons et s'il y en avait parmi elles qui avaient une maman ou un papa dans le genre du sien. Elle avait eu une longue conversation à propos de son papa avec Émilie, le matin même.

— À présent, il est sur la mer, Émilie, avait-elle dit. Nous devons être de grandes amies et nous dire des choses mutuellement. Regarde-moi, Émilie. Tu as les plus jolis yeux que j'ai jamais vus mais j'aimerais que tu puisses parler.

C'était une enfant pleine d'idées inattendues et originales et elle éprouvait un grand réconfort à faire semblant de croire qu'Émilie était vivante, qu'elle entendait et comprenait. Après que Mariette l'avait habillée de sa robe d'uniforme bleu foncé et lui avait attaché les cheveux avec un ruban, bleu foncé lui aussi, elle était allée vers Émilie qui était assise sur une petite chaise et lui avait tendu un livre.

— Lis un peu pendant que je suis en bas, avait-elle dit.

Et voyant que Mariette la considérait avec curiosité, elle l'avait regardée à son tour avec une expression très sérieuse.

— Mon opinion à propos des poupées, avait-elle dit, c'est qu'elles peuvent faire des choses sans que nous nous en doutions. Peut-être qu'Émilie est capable de lire, de parler et de marcher mais qu'elle le fait seulement quand personne n'est avec elle. C'est son secret. Voyez-vous, si les gens savaient que les poupées peuvent faire des tas de choses, ils les forceraient à travailler. Si bien qu'elles se sont probablement juré mutuellement de garder le secret. Si quelqu'un demeure dans la pièce, Émilie se contentera de rester assise et de regarder droit devant elle. Si nous sortons, elle se mettra à lire, ou alors elle se lèvera pour aller regarder par la fenêtre. Et si elle nous entend revenir, elle se précipitera sur sa chaise, s'y assoira et fera semblant de n'avoir pas du tout bougé.

« *Comme elle est drôle !* [1] » se dit Mariette. Et

---

1. Toutes les expressions en italique sont en français dans le texte original. *(N.d.T.)*

quand elle descendit, elle en parla à la première femme de chambre. Mais elle aimait déjà cette étrange petite fille avec son petit visage tellement intelligent et ses manières si parfaites. Elle s'était occupée d'autres enfants auparavant qui étaient loin de se montrer aussi polis. Sarah était une petite personne charmante qui avait une façon tout à fait gentille et amicale de dire : « S'il vous plaît, Mariette ! » ou « Merci, Mariette ». Mariette expliqua à la femme de chambre que Sarah la remerciait comme elle aurait remercié une grande dame.

— *Elle a l'air d'une princesse, cette petite !* dit-elle, véritablement enchantée de sa jeune maîtresse et de son nouvel emploi.

Quant à Sarah, elle était assise depuis quelques minutes dans la salle de classe, sous les regards curieux des autres élèves, quand Miss Minchin, avec beaucoup de dignité, donna un coup de règle sec sur son bureau.

— Mesdemoiselles, dit-elle, je veux vous présenter votre nouvelle camarade.

Toutes les filles se levèrent et Sarah se leva aussi.

— J'espère que vous vous montrerez aimables envers Mlle Crewe, poursuivit Miss Minchin. Elle nous arrive de bien loin, des Indes pour être précise ! Dès que les cours seront terminés, vous ferez connaissance.

Les filles s'inclinèrent cérémonieusement pendant que Sarah faisait une petite révérence ; puis toutes se rassirent et recommencèrent à s'observer.

— Sarah ! dit Miss Minchin avec ses façons de maîtresse d'école, venez ici près de moi !

Elle avait pris un livre dans le bureau et en tournait les pages. Sarah s'approcha poliment.

— Comme votre papa a engagé une bonne française à votre service, commença-t-elle, j'en déduis qu'il veut vous faire étudier tout particulièrement la langue française.

Sarah se sentit un peu mal à l'aise. Elle répondit :

— Je pense qu'il l'a engagée parce qu'il pensait que je l'aimerais bien, Miss Minchin.

— J'ai bien peur, dit Miss Minchin avec un sourire un peu aigre, que vous n'ayez toujours été une petite fille gâtée qui s'imagine qu'on fait les choses seulement pour lui faire plaisir. Je persiste à penser que votre papa souhaite que vous appreniez le français.

Si Sarah avait été plus âgée ou moins pointilleuse sur le chapitre de la politesse, elle se serait expliquée en quelques mots. Mais là, elle sentit le rouge lui monter aux joues. Miss Minchin était quelqu'un de très sévère et qui en imposait. En plus, elle semblait tellement croire que la fillette ignorait tout du français que cette dernière jugea qu'il serait malpoli de la contredire. Or Sarah était incapable de se souvenir d'un moment dans sa vie où elle n'avait pas parlé français. Sa mère était française et le capitaine Crewe était amoureux de cette langue, si bien qu'elle était tout à fait familière à Sarah depuis toujours.

— De fait, je n'ai jamais appris le français, commença-t-elle d'expliquer timidement, mais... mais...

Miss Minchin ignorait le français, ce qui, en secret, l'ennuyait beaucoup. Soucieuse de dissimuler ce fait qui l'irritait, elle n'avait pas l'intention d'en parler avec une petite nouvelle, pas plus que de la laisser lui poser des questions.

— Il suffit ! dit-elle aussi sèchement que la politesse le permettait. Si vous n'avez pas appris le français, vous devrez commencer sur-le-champ. Le maître de français, M. Dufarge, sera ici dans quelques minutes. Prenez ce livre et feuilletez-le jusqu'à ce qu'il arrive.

Sarah sentit que ses joues étaient chaudes. Elle revint à sa place et ouvrit le livre. Elle parcourut les premières pages, l'air sérieux. Elle savait que sourire serait malpoli et elle était tout à fait décidée à se montrer polie. Mais elle trouvait étrange qu'on s'attende à ce qu'elle étudie une page qui disait que *le père* signifie « le père » et que *la mère* veut dire « la mère ».

Miss Minchin lui lançait des regards inquisiteurs.

— Vous semblez contrariée, Sarah, lui dit-elle. Je regrette que l'idée d'apprendre le français vous déplaise.

— Elle me plaît beaucoup, répondit Sarah en pensant qu'elle allait saisir l'occasion pour tenter, encore une fois, de s'expliquer, mais...

— Vous ne devez pas répondre « mais » quand on vous demande de faire quelque chose. Continuez avec votre livre !

Sarah continua et se retint de sourire, même quand elle découvrit que *le frère* n'est autre que « le frère » et que *la sœur* est « la sœur ».

« Quand M. Dufarge arrivera, songea-t-elle, je lui ferai comprendre... »

Ce dernier ne tarda pas à arriver. C'était un Français entre deux âges, très agréable et intelligent ; il eut l'air intéressé quand son regard s'arrêta sur Sarah qui faisait semblant d'être totalement absorbée par son livre.

— Est-ce une nouvelle élève pour moi ? demanda-t-il à Miss Minchin. Je devine que ce sera un excellent élément !

— Son papa, le capitaine Crewe, est très désireux qu'elle commence à apprendre le français mais j'ai bien peur qu'elle n'ait formé contre cette langue une espèce de préjugé puéril. Elle semble ne pas vouloir apprendre...

— J'en suis désolé, mademoiselle, dit-il gentiment à Sarah. Peut-être que quand nous aurons commencé à travailler, je parviendrai à vous montrer que c'est une très jolie langue.

Sarah se leva. Elle commençait à se sentir passablement désespérée, un peu comme si elle était en disgrâce. Elle fixa sur M. Dufarge ses grands yeux gris-vert et sut qu'il comprendrait dès qu'elle parlerait.

Elle commença à s'expliquer, dans un français fluide et élégant. Miss Minchin ne l'avait pas comprise. Elle n'avait certes pas appris le français dans les livres mais il se trouvait que son père et son entourage avaient toujours parlé cette langue avec elle, une langue qu'elle lisait et écrivait comme elle lisait et écrivait l'anglais. Son papa aimait le français et elle l'aimait aussi à cause de son papa. Sa chère maman, qui était morte à sa naissance, était française. Elle serait heureuse d'apprendre tout ce que M. Dufarge voudrait bien lui apprendre mais ce qu'elle avait tenté d'expliquer à Miss Minchin, c'était qu'elle connaissait déjà les mots qui figuraient dans le manuel qu'on lui avait remis.

Dès qu'elle se mit à parler, Miss Minchin sursauta violemment puis, jusqu'à ce qu'elle finisse son explication, elle la considéra avec une mine outragée derrière ses lunettes.

M. Dufarge, lui, se mit à sourire et son sourire manifestait un vif contentement. En entendant cette charmante voix enfantine parler sa langue maternelle si aisément et si élégamment, il en oubliait presque qu'il n'était pas dans son pays natal, lequel, surtout les jours où le brouillard obscurcissait Londres, lui semblait désespérément lointain.

Quand Sarah eut terminé, il prit le livre qu'elle lui tendait avec un regard presque affectueux. Mais ce fut à Miss Minchin qu'il s'adressa :

— Ah ! madame, dit-il, il n'y a pas grand-chose que je puisse lui enseigner ! Elle n'a pas appris le français, elle est française. Son accent est parfait !

— Vous auriez dû me le dire ! s'exclama Miss Minchin, très vexée, en se tournant vers Sarah.

— J'ai essayé, dit Sarah. Je présume que je m'y suis mal prise...

Miss Minchin savait très bien qu'elle avait essayé et que ce n'était pas de sa faute si on ne l'avait pas laissée s'expliquer. Mais quand elle constata que les élèves avaient écouté, et que Lavinia et Jessie ricanaient derrière leurs manuels de français, elle se sentit furieuse.

— Silence mesdemoiselles, dit-elle d'un ton sévère en tapant sur le bureau. Silence immédiatement !

Et, à partir de ce moment-là, elle commença à avoir une dent contre son élève vedette.

Ce [illegible] qu'il [illegible] était assez [illegible] vingt-cinq [illegible] toute la [illegible] à la douleur [illegible] elle [illegible] une liste [illegible] son [illegible] [illegible] avec la [illegible] [illegible] nattes [illegible] et attachées avec un ruban, elle avait fait passer cette natte autour de son cou et, les coudes sur son pupitre, [illegible] le bout du [illegible]

3

Ermengarde

Ce premier matin, alors que Sarah était assise près de Miss Minchin, consciente de ce que toute la classe était occupée à la dévorer des yeux, elle remarqua très vite une fillette, à peu près de son âge, qui fixait sur elle ses yeux bleu clair un peu ternes. C'était une enfant plutôt grosse qui ne semblait pas douée pour deux sous mais dont la bouche charnue révélait la bonne nature. Ses cheveux blond filasse étaient nattés serrés et attachés avec un ruban ; elle avait fait passer cette natte autour de son cou et, les coudes sur son pupitre, mordillait le bout du ruban tout en regardant la nouvelle avec curiosité.

Quand M. Dufarge s'adressa à Sarah, elle parut un peu effrayée. Et quand Sarah se leva en lançant au professeur un regard implorant, puis qu'elle lui répondit brusquement en français, la petite fille grassouillette sursauta avant de rougir de surprise et de honte mêlées. Comme pendant des semaines elle avait pleuré des larmes désespérées faute de pouvoir se rappeler que « *la mère* » signifie « la mère » et « *le père* », « le père », ce fut un authentique choc pour elle d'entendre une enfant de son âge qui non seulement était familière avec ces mots-là mais qui, visiblement, en connaissait quantité d'autres et pouvait les combiner entre eux et les assortir avec des verbes comme s'il s'agissait d'une simple broutille.

Elle la regardait si intensément et mordillait le ruban avec tant d'excitation qu'elle attira l'attention de Miss Minchin laquelle, se trouvant particulièrement contrariée à ce moment-là, s'en prit à elle.

— Mademoiselle St. John, s'exclama-t-elle sévèrement, que signifie cette tenue ? Enlevez vos coudes de la table. Ôtez ce ruban de votre bouche ! Et tenez-vous droite !

Mlle St. John sursauta à nouveau et, en entendant Lavinia et Jessie glousser de rire, elle devint encore plus rouge, si rouge même qu'il sembla que des larmes apparaissaient dans ses pauvres yeux tristes d'enfant. Sarah le vit et eut pitié au point qu'elle se prit d'affection pour elle et eut envie de devenir son amie. C'était un des traits de son caractère de toujours vouloir s'en mêler quand quelqu'un était maltraité ou malheureux.

« Si Sarah était un garçon et avait vécu quelques siècles plus tôt, avait coutume de dire son père, elle aurait parcouru le pays l'épée au clair pour secourir et défendre ses semblables en détresse. Elle est toujours prête à se battre quand elle voit des gens qui ont des ennuis. »

Ainsi Sarah se prit-elle d'affection pour la petite Mlle St. John, qui était lente et grossette, et qui ne cessa pas de la regarder tout au long de la matinée. Elle constata qu'elle avait du mal avec ses leçons et qu'elle ne risquait certes pas qu'on la gâte en la traitant en élève vedette. Pour elle, le cours de français fut pathétique. M. Dufarge ne parvint pas à s'empêcher de rire de sa prononciation tandis que Lavinia, Jessie et quelques autres, un peu plus douées, se moquaient d'elle ou la regardaient avec dédain.

Sarah, elle, ne rit pas. Elle fit comme si elle n'entendait pas quand Mlle St. John prononça *le bon pain*, « li bong pang ». Elle avait déjà un petit caractère bien trempé et sentit monter de la colère en elle quand elle entendit les filles rire et qu'elle vit que la petite demeurait désolée et quasi hébétée.

— Ce n'est pas drôle, dit-elle entre les dents en se penchant sur son livre. Elles ne devraient pas rire !

Quand les cours furent terminés et que les élèves se rassemblèrent en petits groupes pour discuter, Sarah chercha Mlle St. John et, l'ayant vue dans un fauteuil près d'une fenêtre où elle s'était pelotonnée avec l'air mécontent, elle alla vers elle et lui parla. Elle lui dit seulement le genre de petits riens que les petites filles se disent entre elles pour faire connaissance mais il y avait quelque chose d'amical chez Sarah que les autres sentaient d'emblée.

— Quel est ton nom ? demanda-t-elle.

Pour comprendre l'étonnement qu'éprouva alors Mlle St. John il faut se rappeler qu'une nouvelle est, pendant un certain temps, quelque chose d'incertain. Et de cette nouvelle, toutes les élèves avaient longuement parlé la veille avant de finir par s'endormir, épuisées qu'elles étaient à force d'excitation et d'histoires les plus contradictoires. Faire connaissance avec une nouvelle qui avait une voiture, un poney, une bonne et un voyage depuis les Indes à raconter, ce n'était pas un événement ordinaire.

— Mon nom est Ermengarde St. John, répondit-elle.

— Et le mien Sarah Crewe, dit Sarah. Tu as un joli nom. Il fait penser au titre d'un livre d'histoires.

— Tu l'aimes bien ? s'enchanta Ermengarde. Moi j'aime le tien !

La principale difficulté d'Ermengarde St. John dans la vie, c'était qu'elle avait un papa très intelligent. Par moments, cela lui apparaissait comme une terrible calamité. Car si vous avez un père qui sait tout, qui parle sept ou huit langues, qui possède des milliers de livres qu'il semble connaître par cœur, il s'attend le plus souvent à ce que vous soyez familière avec le contenu de vos livres de classe. Il est même probable qu'il pensera que vous devriez être capable de mémoriser quelques événements historiques et de rédiger un petit texte en français. Ermengarde était une sévère épreuve pour M. St. John qui ne parvenait pas à comprendre comment sa propre enfant pouvait être une créature aussi terne, incapable de briller dans aucune matière.

— Dieu du Ciel ! disait-il régulièrement en la regardant, il y a des moments où elle me semble aussi bête que sa tante Élise.

Si sa tante Élise s'était montrée lente pour apprendre et prompte pour oublier totalement ce qu'elle avait appris, alors Ermengarde lui ressemblait de façon frappante. C'était le cancre absolu de l'école, un fait que nul ne pouvait nier.

— Il faut absolument faire en sorte qu'elle apprenne, avait dit le père à Miss Minchin.

En conséquence de quoi, Ermengarde passait le plus clair de son temps à être punie ou à pleurer. Elle apprenait des choses qu'elle oubliait aussitôt ou, si elle s'en souvenait, elle ne les avait pas comprises. Aussi était-il normal qu'ayant fait la connaissance de Sarah, elle se soit mise à la contempler, en proie à une profonde admiration.

— Tu parles français, n'est-ce pas ? dit-elle avec respect.

Sarah grimpa sur le fauteuil qui était vaste et profond ; elle ramena les pieds devant elle et passa les bras autour de ses genoux.

— Je parle le français parce que je l'ai toujours entendu parler, répondit-elle. Si c'était ton cas, tu le parlerais aussi.

— Oh non ! je ne pourrais pas ! Je n'ai jamais pu !

— Pourquoi ? demanda Sarah avec curiosité.

Ermengarde secoua la tête, ce qui fit voltiger la natte.

— Tu m'as entendue ? dit-elle. Je suis toujours comme ça. Je ne peux pas dire les mots. Ils sont si bizarres !

Elle se tut un moment avant d'ajouter avec un accent de respect un peu craintif dans la voix :

— Tu es intelligente, n'est-ce pas ?

Sarah regarda par la fenêtre la placette misérable où les moineaux sautillaient et pépiaient sur les grilles métalliques mouillées ou les branches des arbres. Elle réfléchit un moment. Elle avait souvent entendu dire qu'elle était intelligente et se demandait si elle l'était ou non. En même temps, elle cherchait à comprendre, si elle l'était, comment cela se faisait.

— Je ne sais pas, dit-elle enfin. Je ne peux pas savoir.

Puis voyant une expression de chagrin se peindre sur la figure ronde et joufflue de sa compagne, elle eut un petit rire et changea de sujet.

— Tu aimerais voir Émilie ? proposa-t-elle.

— Qui est-ce, Émilie ? demanda Ermengarde juste comme l'avait fait Miss Minchin.

— Viens dans ma chambre la voir, dit Sarah en la prenant par la main.

Elles sautèrent du fauteuil et montèrent à l'étage.

— Est-ce vrai, demanda Ermengarde à voix basse alors qu'elles traversaient l'entrée, que tu as une salle de jeux pour toi seule ?

— Oui, répondit Sarah. Papa l'a demandé à Miss Minchin parce que... eh bien parce que, quand je joue, j'invente des histoires que je me raconte à moi-même. Mais je ne veux pas que d'autres gens les entendent. Ça les gâte s'ils les entendent.

À ce moment-là, elles arrivaient au couloir menant à la chambre de Sarah. Ermengarde s'immobilisa pour la dévisager ; elle en avait le souffle coupé.

— Tu inventes des histoires ? murmura-t-elle. Tu le fais aussi bien que tu parles français ?

Sarah la considéra avec surprise.

— Tout le monde peut inventer des histoires ! Tu n'as jamais essayé ?

Sur quoi, elle posa la main sur le bras d'Ermengarde, afin d'attirer son attention..

— Allons à la porte très doucement, chuchota-t-elle, puis je l'ouvrirai brusquement et peut-être parviendrons-nous à la surprendre !

Elle riait à moitié mais, en même temps, il y avait une note d'espoir dans son regard qui fascina Ermengarde bien qu'elle n'eût pas la plus petite idée de ce que tout cela signifiait ni de qui Sarah voulait surprendre ou même de la raison pour laquelle elle voulait le faire. Mais, de toute façon, Ermengarde était sûre qu'il s'agissait de quelque chose de terriblement excitant. En frémissant d'espoir, elle la suivit sur la pointe des pieds jusqu'au bout du couloir. Elles ne firent pas le moindre bruit pour atteindre la porte.

Sarah tourna la poignée et ouvrit brusquement. Derrière la porte, la pièce était en ordre et tranquille ; il y avait du feu dans l'âtre et, à côté, une poupée assise sur une chaise qui, apparemment, était en train de lire.

— Oh ! elle a rejoint son siège avant que nous puissions la voir faire ! expliqua Sarah. Bien sûr, c'est ce qu'elles font toujours. Elles sont rapides comme l'éclair.

Ermengarde regarda sa compagne puis la poupée puis Sarah de nouveau.

— Elle peut marcher ? demanda-t-elle, au comble de l'étonnement.

— Oui, dit Sarah. Du moins, je crois qu'elle le peut. Ou du moins, je fais semblant de le croire. Ce qui fait que c'est comme si c'était vrai. Tu n'as jamais fait semblant de croire des choses ?

— Non, dit Ermengarde. Jamais. Explique-moi comment tu t'y prends...

Elle était si fort impressionnée par cette étrange nouvelle camarade qu'elle regardait Sarah au lieu d'Émilie, quoique Émilie fût la plus jolie poupée qu'elle ait jamais vue.

— Asseyons-nous, proposa Sarah, je te l'expliquerai. C'est tellement facile que quand on commence on ne peut plus s'arrêter : on continue et on continue encore. Et c'est beau... Au fait, Émilie, écoute-moi ! Voici Ermengarde St. John. Ermengarde, voici Émilie. Aimerais-tu la tenir dans tes bras ?

— Je pourrais ? Je pourrais vraiment ? Qu'elle est belle !

Et Émilie fut placée entre ses bras.

Jamais au cours de sa vie encore courte mais bien morne, Mlle St. John n'avait rêvé d'une heure comme celle qu'elle passa en compagnie de cette surprenante nouvelle élève jusqu'à ce que la cloche du déjeuner vienne lui rappeler qu'il fallait descendre. Sarah s'était assise sur la carpette et racontait des choses étranges. Elle était recroquevillée sur elle-même et ses yeux verts brillaient, ses joues flamboyaient. Elle raconta des histoires concernant le voyage et les Indes mais ce qui fascina le plus Ermengarde ce furent ses inventions à propos des poupées qui marchaient et parlaient et qui pouvaient faire tout ce qu'elles voulaient quand les humains n'étaient pas à proximité mais qui devaient garder ces pouvoirs secrets de telle sorte qu'elles retournaient à leur place « comme l'éclair » dès que paraissait un être humain.

— Nous serions incapables de bouger aussi vite, dit Sarah sérieusement. C'est une espèce de magie.

À un moment, alors que Sarah racontait comment elle avait longuement cherché Émilie, Ermengarde vit l'expression de son visage s'altérer brusquement. Il sembla qu'un nuage passait, obscurcissant l'éclat de son regard. Elle inspira si violemment que cela fit un curieux petit bruit ; puis elle ferma la bouche en serrant les lèvres, comme si elle était bien décidée soit à faire, soit à ne pas faire quelque chose. Ermengarde songea que, si Sarah avait été comme les autres filles, elle aurait brutalement éclaté en sanglots. Mais elle ne pleura pas.

— Tu as mal quelque part ? hasarda Ermengarde.

— Oui, répondit Sarah après un silence. Mais ce n'est pas dans mon corps.

Puis elle ajouta quelque chose d'une voix basse qu'elle s'efforça d'empêcher de trembler et ce quelque chose c'était :

— Est-ce que tu aimes ton père plus que tout au monde ?

Ermengarde ouvrit la bouche. Elle savait qu'elle ne se comporterait pas comme une enfant respectable et digne d'une pension sélecte si elle affirmait qu'il ne lui était jamais venu à l'idée qu'on pouvait aimer son père et qu'elle ferait n'importe quoi, désespérément, pour éviter qu'on la laisse dix minutes seule avec lui. En fait, elle se trouva terriblement embarrassée.

— Je le vois vraiment très rarement, hasarda-t-elle. Il est toujours dans sa bibliothèque, occupé à lire.

— Moi, j'aime le mien dix fois plus que le monde tout entier, dit Sarah. C'est pour cela que j'ai mal. Il est parti.

Elle posa la tête sur ses genoux et resta silencieuse pendant quelques minutes.

« Elle va se mettre à pleurer », songea Ermengarde avec inquiétude.

Mais non. Elle demeura sans bouger, avec ses boucles brunes qui lui retombaient sur les oreilles. Puis, sans lever la tête, elle ajouta :

— Je lui ai promis de supporter et je le ferai. Il faut supporter les choses. Pense à ce que supportent les soldats ! Papa est un soldat. S'il y avait la guerre, il faudrait qu'il supporte les marches forcées, la soif et, qui sait, les blessures. Lui supporterait tout sans dire un mot.

Ermengarde ne pouvait rien faire d'autre que la regarder mais elle sentit qu'elle commençait à l'adorer. Elle était si merveilleuse et si différente de toutes les autres.

Sarah leva la tête et ramena ses boucles en arrière avec un petit sourire.

— Si je continue à parler avec toi, dit-elle, et à te raconter quantité de choses à propos de mes inventions, je supporterai mieux. On n'oublie pas mais on supporte plus facilement.

Ermengarde ne comprit pas pourquoi elle avait comme une boule dans sa gorge et des larmes qui lui venaient aux yeux.

— Lavinia et Jessie sont « meilleures amies », dit-elle d'une voix un peu rauque. J'aimerais que nous soyons « meilleures amies » ! Tu voudrais bien de moi ? Tu es brillante et je suis l'élève la plus stupide de la pension mais je t'aime tellement !

— Je suis contente, dit Sarah. Cela vous rend heureux quand on vous aime. C'est d'accord, nous serons amies. Et puis tu sais quoi...

Un grand sourire illumina son visage.

— Je vais t'aider pour ton français !

4

Lottie

Si Sarah avait été différente de ce qu'elle était, la vie qu'elle allait mener à la pension sélecte de Miss Minchin au cours des prochaines années ne lui aurait pas du tout été bénéfique. Car on la traitait en invitée d'honneur de l'établissement plutôt qu'en simple petite fille. Si elle avait été vaniteuse ou autoritaire, elle aurait pu devenir désagréable voire insupportable à force d'être flattée et courtisée. Si elle avait été paresseuse, elle n'aurait rien appris.

En secret, Miss Minchin la détestait mais elle était trop soucieuse de ses intérêts pour faire ou dire quoi que ce soit qui aurait pu inciter une élève aussi précieuse à quitter l'établissement. Elle savait que, si Sarah écrivait à son papa qu'elle était malheureuse ou maltraitée, le capitaine la retirerait aussitôt. Dans l'opinion de Miss Minchin, une enfant qu'on encensait en permanence et à qui on laissait faire ses quatre volontés ne pouvait qu'aimer l'endroit où on la traitait de la sorte. Si bien qu'on félicitait Sarah pour la vitesse avec laquelle elle apprenait ses leçons, pour ses bonnes manières, pour sa gentillesse envers les autres pensionnaires, pour sa générosité si elle prenait une pièce pour un mendiant dans sa bourse qui en était pleine. La moindre chose qu'elle faisait était considérée comme le signe d'une haute qualité personnelle et, si elle n'avait pas eu d'excellentes dispositions et la tête solide, elle serait vite devenue une petite personne très satisfaite de soi. Mais sa petite tête bien faite lui soufflait quantité de pensées vraies et sensées à propos d'elle-même et de sa situation, pensées qu'elle répétait à Ermengarde à l'occasion.

— Les choses arrivent aux gens par hasard, avait-elle coutume de dire. Un grand nombre de hasards heureux m'ont favorisée. Il se trouve que j'ai toujours aimé les leçons et les livres, et que je me souviens facilement de ce que je veux apprendre. Le hasard a fait que mon père est beau et intelligent et qu'il peut me donner tout ce dont j'ai envie. Peut-être que je n'ai pas du tout un bon caractère mais que si on a tout ce qu'on désire et si tout le monde est gentil, alors on ne peut pas s'empêcher d'avoir un heureux caractère ? Je ne sais pas comment faire pour savoir si, au fond, je suis une fille bonne ou épouvantable ? Peut-être suis-je une fille effroyable, ce que personne ne saura jamais parce que je n'aurai jamais l'occasion de le montrer ?

— Lavinia n'a pas besoin d'occasions particulières pour se comporter de façon odieuse, répliqua Ermengarde.

Sarah se frotta le bout du nez tout en réfléchissant à la question.

— Eh bien ! dit-elle, c'est peut-être parce que... parce qu'elle est en train de grandir !

Elle faisait allusion, par charité, aux propos de Miss Amélie disant que Lavinia grandissait si vite que cela gâtait sa santé et son caractère.

Lavinia, en fait, était méchante. Elle était énormément jalouse de Sarah. Jusqu'à l'arrivée de cette dernière, c'était elle, en fait, qui était la plus en vue à la pension. Elle s'était imposée comme meneuse parce qu'elle pouvait se montrer terriblement désagréable si les autres refusaient de la suivre. Elle était très autoritaire vis-à-vis des petites et affichait de grands airs avec les filles de son âge.

Elle était plutôt jolie et avait été l'élève la mieux habillée chaque fois que les fillettes sortaient en rang par deux jusqu'à ce qu'apparaissent les manteaux de velours et les manchons de zibeline de Sarah, combinés aux plumes d'autruche retombantes, et qu'ils soient placés au premier rang par Miss Minchin. Cela, dans un premier temps, avait causé beaucoup d'amertume à Lavinia. Puis, avec le temps, il était devenu évident que Sarah était, elle aussi, une meneuse, pas parce qu'elle savait se montrer odieuse mais parce qu'elle ne l'était jamais.

— Il y a une chose à propos de Sarah Crewe, avait dit Jessie – et sa franchise avait fait enrager sa « meilleure amie » –, c'est qu'elle ne se montre jamais prétentieuse alors qu'elle aurait toutes les raisons pour ça, tu ne trouves pas, Lavvie ? Je pense que je le serais un peu si j'avais autant de choses et qu'on fasse autant de foin autour. La façon dont Miss Minchin l'exhibe quand des parents viennent est répugnante !

— Notre chère Sarah doit venir au salon et entretenir Mme Musgrave à propos des Indes, dit Lavinia en singeant Miss Minchin de façon tout à fait pittoresque. Notre chère Sarah doit parler français à Lady Pitkin. Son accent est si parfait !

L'ennui c'est qu'elle n'a pas appris le français à la pension. Il n'y a rien de si extraordinaire à parler français après tout. Surtout qu'en fait, elle ne l'a même pas appris ! Elle s'y est mise parce qu'elle entendait son papa le parler. Et puis, à propos de son père, la belle affaire qu'il soit officier de l'armée des Indes !

— Eh bien ! dit Jessie, il a tué des tigres ! Il a tué celui qui était dans la peau qui se trouve dans la chambre de Sarah. C'est même pour cela qu'elle l'aime tant. Elle se couche dessus, lui caresse la tête et lui parle comme si c'était un chat.

— Il faut toujours qu'elle fasse des choses incongrues, dit Lavinia sèchement. Ma mère dit que la façon qu'elle a de faire semblant est idiote. Elle dit qu'en grandissant, elle deviendra excentrique !

Il était tout à fait vrai que Sarah n'était jamais prétentieuse. C'était au contraire une petite âme amicale qui partageait ses privilèges et ses biens à pleines mains. Les grandes dames de dix ou douze ans avaient l'habitude de mépriser les jeunes élèves et de les pousser hors de leur chemin ; Sarah, qui était pourtant la plus en vue de toutes les élèves, ne les faisait jamais pleurer. Elle se montrait même maternelle et quand des petites tombaient en s'écorchant les genoux, elle courait les relever et les caressait pour les réconforter ou trouvait au fond de ses poches un bonbon ou une gâterie qui les consolait. Jamais elle ne les bousculait ou ne profitait de leur âge pour les humilier ou se moquer de leurs petites personnes.

— Quand on a quatre ans on a quatre ans, avait-elle dit une fois à Lavinia qui avait giflé Lottie et l'avait traitée de môme, mais on a cinq ans l'année suivante et six l'année d'après. Et au bout de seize ans, on en a vingt, avait-elle ajouté d'un ton convaincu.

— Ma chère ! dit Lavinia, comme nous calculons bien !

Mais il demeurait indéniable que seize et quatre font bien vingt et que vingt ans était un âge auquel les plus hardies avaient à peine l'audace de rêver.

Ainsi, les fillettes les plus jeunes l'adoraient. On savait que, plus d'une fois, elle avait convié ces dernières dans sa chambre pour le thé, elles qui, d'ordinaire, étaient méprisées. Elles avaient joué avec Émilie et employé le service à thé de cette dernière, celui dont les tasses contenaient une bonne quantité de thé léger très sucré et étaient décorées de fleurs bleues. Personne n'avait vu un service à thé de poupée aussi réaliste jusqu'alors. Depuis cette après-midi-là, Sarah était considérée comme une déesse et une reine par toute la section qui ânonnait son alphabet.

Lottie Legh l'adorait à un point tel que, si elle

n'avait pas eu la fibre maternelle, Sarah l'aurait sûrement trouvée pénible. Lottie avait été envoyée à l'école par un papa jeune et plutôt léger qui n'avait pas pu imaginer autre chose à faire d'elle. Sa toute jeune mère était morte et comme Lottie avait été traitée comme une poupée, un singe de compagnie ou un chien de manchon dès les premiers moments de sa vie, elle se révélait être une petite créature assez épouvantable. Quand elle voulait – ou qu'elle refusait – quelque chose, elle pleurait et hurlait. Et comme elle voulait toujours ce qu'elle ne pouvait pas avoir et refusait ce qui aurait été bon pour elle, sa petite voix perçante retentissait en permanence à un endroit ou l'autre de la maison.

Son arme la plus redoutable résidait dans le fait qu'elle avait fini par découvrir qu'une petite fille qui a perdu sa mère mérite la pitié et l'attention de tous. Sans doute l'avait-elle entendu dire par des adultes quand elle était toute petite, juste après la mort de sa mère. Elle avait pris l'habitude d'utiliser à fond sa découverte.

Sarah la prit en charge pour la première fois un matin où, passant près du salon, elle entendit Miss Minchin et Miss Amélie tenter de réduire au silence les plaintes irritées d'une enfant qui refusait qu'on la fasse taire. Elle refusait avec tant de détermination et de véhémence que Miss Minchin était presque obligée de hurler pour se faire entendre.

— Pourquoi pleure-t-elle ? demandait-elle en criant presque.

— Ho ! Ho ! Ho ! entendit Sarah. Je n'ai pas de ma... man !

— Ho Lottie ! s'égosillait Amélie. Arrête-toi, ma chérie ! Ne pleure pas, s'il te plaît ! Ne pleure pas !

— Ho ! Ho ! Ho ! Ho ! Ho ! hululait Lottie avec énergie. Je n'ai pas de ma... man !

— Elle mériterait d'être fouettée, s'exclama Miss Minchin. Vous serez fouettée, méchante petite fille !

Lottie brailla encore plus fort qu'avant. Miss Amélie se mit à pleurer. La voix de Miss Minchin s'enfla jusqu'à devenir semblable au tonnerre. Puis, brusquement la directrice se leva de son siège et, pleine d'indignation impuissante, sortit du salon en laissant sa sœur se débrouiller pour calmer la petite.

Sarah était restée dans le couloir à se demander si elle devait intervenir car, depuis peu, elle était devenue l'amie de Lottie et se sentait capable de l'apaiser. Quand Miss Minchin la vit, en sortant, elle parut ennuyée. Elle comprit que sa voix, même depuis l'extérieur de la pièce, n'avait peut-être pas paru digne ni aimable.

— Sarah ! s'exclama-t-elle en s'efforçant de produire un sourire de circonstance.

— Je me suis arrêtée, dit Sarah, parce que j'ai compris que c'était Lottie. J'ai pensé que, peut-être, je pourrais la calmer. Puis-je essayer, Miss Minchin ?

— Si vous y parvenez, c'est que vous êtes bien maligne ! répondit Miss Minchin en pinçant les lèvres.

Mais aussitôt, en voyant que Sarah semblait quelque peu refroidie par sa rudesse, elle changea de ton.

— Il est vrai que vous avez tous les talents ! dit-elle sur son ton mielleux habituel. Je crois même que vous y parviendrez tout à fait. Entrez donc !

Et elle s'en alla.

Quand Sarah entra dans la pièce, Lottie était allongée par terre, à hurler et à frapper violemment le sol de ses petites jambes grassouillettes ; Miss Amélie était penchée sur elle avec un air absolument consterné, les joues rouges et le front moite de transpiration. Lottie avait découvert dès l'époque de la nursery, chez elle, que frapper le sol et hurler étaient le moyen d'obtenir tout ce qu'elle voulait : on le lui donnait pour qu'elle arrête. La malheureuse Miss Amélie essayait en alternance la douceur et la fermeté.

— Pauvre chérie, disait-elle dans un premier temps, je sais bien que tu n'as pas de maman, pauvrette !

Puis, changeant radicalement de ton, elle enchaînait :

— Si tu n'arrêtes pas, Lottie, je vais te secouer !... Pauvre petit ange ! Là, du calme !... Vilaine ! Méchante ! Détestable enfant ! Vous aurez une fessée ! Vous l'aurez !

Sarah s'approcha d'elles tranquillement. Elle ne savait pas du tout comment elle allait faire mais elle jugeait qu'il valait mieux ne pas proférer des propos contradictoires de façon aussi désespérée et aussi tendue.

— Miss Amélie, murmura-t-elle, Miss Minchin dit que je peux essayer de la faire cesser. Puis-je ?

Miss Amélie la regarda. Il y avait une nette nuance de désespoir dans son regard.

— Vous pensez que vous pourriez ? haleta-t-elle.

— Je ne sais pas, répondit Sarah toujours à voix basse, mais je peux toujours essayer.

Miss Amélie se releva en exhalant un profond soupir ; de leur côté, les jambes dodues de Lottie battaient le plancher plus violemment que jamais.

— Si vous vouliez bien sortir du salon, dit Sarah, je resterais volontiers seule avec elle.

— Oh ! Sarah ! s'écria Miss Amélie, nous

n'avons encore jamais eu d'enfant aussi difficile. Je ne crois pas que nous pourrons la garder !

Elle quitta néanmoins la pièce, toute contente d'avoir trouvé une excuse pour ce faire.

Pendant un petit moment, Sarah resta debout sans rien dire à côté de la petite en colère qui hurlait. Puis elle s'assit par terre près d'elle et attendit. Mis à part les cris de Lottie, la pièce était tout à fait tranquille. C'était une nouveauté pour la petite Mlle Legh qui avait l'habitude, quand elle criait, de voir les autres s'agiter et la supplier ou lui ordonner sévèrement de se taire. Être couchée au sol à hurler et à gigoter et sentir que la seule personne présente ne s'en souciait pas du tout attira son attention. Elle ouvrit les yeux qu'elle tenait fermés pour voir à qui elle avait affaire. Ce n'était rien qu'une autre petite fille qui la regardait vaguement comme si elle était en train de penser à autre chose.

Après ces constatations, Lottie pensa qu'elle se devait de recommencer son manège mais le calme de la pièce et celui qui se lisait sur le visage de Sarah firent qu'elle se remit à crier sans beaucoup d'entrain.

— Je n'ai pas de ma... ma... man ! préluda-t-elle.

Sa voix n'était plus aussi forte qu'avant.

Sarah la regarda encore plus fixement mais de la compréhension se lisait dans ses yeux.

— Moi non plus, dit-elle.

C'était si inattendu que l'effet fut foudroyant. Lottie laissa retomber ses jambes, gigota encore un peu puis resta immobile à la fixer. Une idée nouvelle arrête les pleurs d'un enfant quand rien d'autre n'y fait. Il est vrai aussi que Lottie détestait Miss Minchin, qui était coléreuse, et Miss Amélie, qui était déraisonnablement indulgente, mais qu'elle aimait bien Sarah, même si elle la connaissait peu. Elle ne voulait pas renoncer à ses plaintes mais s'en trouvait distraite, si bien qu'après s'être tortillée une nouvelle fois, après un nouveau sanglot boudeur, elle demanda :

— Où est-elle ?

Sarah resta muette un moment. Parce qu'on lui avait dit que sa mère se trouvait au Ciel, elle avait beaucoup pensé à la question et le résultat de ses réflexions n'était pas du tout celui de tout le monde.

— Elle est allée au Ciel, dit-elle, mais je suis sûre qu'elle vient me voir de temps à autre même si moi je ne la vois pas. La tienne en fait autant. Peut-être qu'elles nous voient en ce moment toutes les deux. Peut-être même qu'elles se trouvent dans cette pièce.

Lottie se redressa brusquement pour s'asseoir

et regarda autour d'elle. C'était une jolie petite personne avec des cheveux frisés, dont les yeux ronds ressemblaient à des myosotis mouillés. Si sa maman l'avait vue pendant la demi-heure précédente, elle n'aurait sans doute pas pensé qu'elle était le genre d'enfant qu'on peut comparer à un ange.

Sarah continua de parler. Certaines personnes auraient peut-être jugé que ce qu'elle racontait ressemblait à un conte de fées mais c'était si réel dans son imagination que Lottie se mit à l'écouter malgré elle. On lui avait dit que sa maman avait des ailes et une couronne, on lui avait montré des images de dames en chemises de nuit blanches qui étaient censées être des anges. Mais Sarah semblait raconter une histoire vraie à propos d'un vrai pays qu'habitaient des gens réels.

— Il y a des champs et des champs de fleurs, disait-elle en oubliant où elle se trouvait et en parlant comme si elle était dans un rêve... Des champs entiers de lys... Quand le vent les caresse doucement, il se charge de leur parfum que tout le monde respire en permanence car le vent souffle gentiment en permanence. Les petits enfants courent dans les champs de lys et les cueillent par pleines brassées et ils rient et tressent de petites couronnes. Les rues sont illuminées. Et les gens ne sont jamais fatigués, aussi loin qu'ils aillent.

Ils peuvent flotter pour aller où ils veulent. Il y a des murs faits de perles et d'or qui entourent la ville mais ils sont assez bas pour que les gens puissent s'appuyer dessus et regarder la terre pour y envoyer de beaux messages.

Elle aurait commencé n'importe quelle histoire que Lottie se serait arrêtée pour l'écouter, fascinée. Mais il était indiscutable que celle-ci était plus jolie que la plupart des autres. Elle se rapprocha de Sarah et but chacune de ses paroles jusqu'à ce que la fin arrive, trop vite. À ce moment-là, elle fut tellement désolée qu'elle fit une moue qui ne présageait rien de bon.

— Je veux aller là, pleurnicha-t-elle. Je n'ai pas de maman à l'école !

Sarah vit venir le danger et sortit de sa rêverie. Elle prit la main dodue de la petite dans la sienne et attira Lottie vers elle avec un petit rire enthousiaste.

— Je serai ta maman, dit-elle. Nous jouerons à ce que tu sois ma petite fille. Et Émilie sera ta sœur !

Toutes les fossettes de Lottie se montrèrent à la fois.

— Elle le sera vraiment ?

— Oui, répondit Sarah en se mettant debout. Allons le lui dire. Et j'en profiterai pour te débarbouiller et te brosser les cheveux.

Lottie accepta et trottina à côté d'elle jusqu'à sa chambre. Elle avait complètement oublié que l'heure de drame qui avait précédé était due au fait qu'elle avait refusé qu'on lui lave le visage et qu'on la peigne en vue du déjeuner, jusqu'à ce qu'on appelle Miss Minchin pour qu'elle use de sa majestueuse autorité.

De ce jour, Sarah devint mère adoptée.

5

Becky

L'atout majeur de Sarah, celui qui lui gagnait encore plus de sympathies que le luxe qui l'entourait et son statut d'élève vedette, ce don que Lavinia et d'autres filles lui enviaient au plus haut point tout en étant fascinées, était son talent de conteuse, de faire ressembler tout ce qu'elle racontait à une histoire, que cela en soit une ou pas.

Quiconque est allé à l'école avec un ou une conteuse sait comment cela se passe. Une armée l'assiège en permanence pour lui réclamer à mi-voix un récit ; des groupes se forment dans l'espoir de parvenir à entendre une histoire même s'ils ne sont pas invités à écouter. Non seulement Sarah savait raconter mais, en plus, elle adorait cela. Quand elle se campait au milieu d'un cercle et qu'elle commençait à inventer ses récits merveilleux, ses yeux verts s'agrandissaient et brillaient, ses joues s'empourpraient, et, sans même se rendre compte de ce qu'elle faisait, elle se mettait à jouer. Alors son histoire devenait drôle ou inquiétante au gré des intonations de sa voix qu'elle haussait ou baissait, des mouvements souples de son corps, des gestes passionnés de ses mains. Elle oubliait complètement qu'elle s'adressait à des enfants qui buvaient ses paroles. Elle voyait les fées, leur parlait, ainsi qu'aux rois, aux reines et aux belles dames dont elle narrait les aventures.

Il lui arrivait parfois, quand elle parvenait à la fin d'un récit, de se trouver hors d'haleine à force d'excitation. Alors, elle posait la main sur sa poitrine qui se soulevait trop vite et souriait aux anges.

— Quand je raconte, disait-elle volontiers, je n'ai pas l'impression d'inventer des choses. Elles me paraissent plus réelles que mes auditrices ou que la salle de classe. J'ai le sentiment d'être tous les personnages de l'histoire l'un après l'autre. C'est étrange.

Elle était à la pension de Miss Minchin depuis environ deux ans quand, par une après-midi d'hiver brouillardeuse, elle descendit de sa voiture enveloppée dans ses velours et ses fourrures les plus douillets, paraissant beaucoup plus impressionnante qu'elle ne le croyait. Au moment où elle traversait le trottoir pour rentrer, elle aperçut une petite silhouette pitoyable debout dans l'escalier menant au sous-sol qui levait la tête et étirait son cou pour essayer de l'apercevoir par les interstices des grilles.

À l'évidence, la propriétaire de ce visage falot et de ces yeux grands écarquillés de curiosité redoutait d'être surprise en train de regarder des élèves importantes. Elle disparut d'un coup, comme un pantin rentre dans sa boîte, et courut à la cuisine, le tout si rapidement que, si elle n'avait pas paru aussi misérable et malheureuse, Sarah aurait ri malgré elle.

Le soir même, alors que Sarah était assise au milieu d'un groupe d'auditrices, dans un des salons de l'école, à raconter une de ses histoires, la même silhouette entra timidement dans la pièce en portant un seau de charbon beaucoup trop lourd pour elle. Elle s'agenouilla sur le tapis de cheminée pour recharger le feu et balayer les cendres.

Elle était plus proprement vêtue qu'au moment

où elle regardait par la grille mais elle paraissait aussi effrayée. Visiblement, elle avait peur de donner l'impression qu'elle observait les enfants ou qu'elle écoutait. Elle posa les morceaux de charbon un à un dans le foyer, en sorte de ne faire aucun bruit, et balaya les parages de l'âtre silencieusement. Mais il ne fallut pas deux minutes à Sarah pour constater qu'elle était intéressée par ce qu'il se passait et qu'elle faisait son travail lentement dans l'espoir de saisir un mot par-ci par-là.

— Les sirènes nageaient avec souplesse dans l'eau verte cristalline en traînant derrière elles un filet de pêche formé de perles marines, racontait Sarah. La princesse s'assit sur un rocher blanc pour les observer...

C'était la merveilleuse histoire d'une princesse qu'aimait un prince triton et qui part vivre avec lui dans des cavernes lumineuses, sous la mer.

La petite servante, devant la cheminée, balaya le foyer une fois puis une fois encore. L'ayant fait deux fois, elle le fit trois fois. Et tandis qu'elle le faisait pour la troisième fois, entendre l'histoire l'incita tellement à prêter l'oreille qu'elle tomba sous le charme ; elle oublia qu'elle n'avait pas le droit d'écouter en même temps qu'elle oubliait tout le reste. Elle s'assit sur les talons, sur le tapis devant la cheminée, et la brosse demeura immobile au bout de ses doigts. La voix de la conteuse l'enveloppa et l'emmena dans des grottes sinueuses sous la mer, illuminées d'une douce lueur bleue et pavées de sable d'or pur. D'étranges fleurs marines et des herbes ondulaient autour d'elle et, au loin, retentissaient les échos de chansons et de musiques.

La brosse tomba des mains rougies par les tâches domestiques et Lavinia Herbert regarda autour d'elle.

— Cette fille est en train d'écouter, dit-elle.

La coupable saisit sa brosse et se leva brusquement. Elle prit son seau à charbon et fila de la pièce comme un lapin apeuré.

Sarah sentit la colère la gagner.

— Je savais qu'elle écoutait, dit-elle. Et alors ?

Lavinia hocha la tête avec beaucoup d'élégance.

— Eh bien, dit-elle, je ne sais pas si ta maman aimerait que tu racontes des histoires à des petites servantes mais je sais que la mienne n'aimerait pas ça !

— Ma maman ! dit Sarah avec un air étrange, je ne pense pas qu'elle y verrait le moindre inconvénient. Elle sait que les histoires appartiennent à tout le monde !

— Je pensais que ta mère était morte, répliqua Lavinia d'un ton sévère. Comment peut-elle savoir quoi que ce soit ?

— Ainsi tu penses qu'elle ne peut rien savoir ? dit Sarah d'une petite voix sérieuse.

Elle avait parfois une petite voix sérieuse.

— La maman de Sarah sait tout, intervint Lottie. Et ma maman aussi, sauf que Sarah est ma maman d'ici et que Miss Minchin est, elle aussi, une « je sais tout » ! Les rues sont illuminées et il y a des champs et des champs de lys que tout le monde cueille. Sarah me le raconte quand elle me met au lit.

— Mauvaise fille ! dit Lavinia en se tournant vers Sarah. Tu inventes des contes de fées à propos du Paradis !

— Il y a des histoires encore plus splendides dans l'Apocalypse ! rétorqua Sarah. Regardes-y et tu verras ! Et comment peux-tu savoir que ce que je dis sur le Paradis c'est des contes de fées ?

Avec une humeur qui n'était plus du tout celle des anges elle ajouta :

— En tout cas, tu n'auras jamais l'occasion de le vérifier sur place si tu n'es pas plus gentille avec les autres. Allez, viens, Lottie !

Elle sortit de la pièce en espérant retrouver la petite servante ailleurs mais elle alla jusque dans l'entrée sans la revoir nulle part.

— Qui est cette petite fille qui regarnit les cheminées ? demanda-t-elle à Mariette ce soir-là.

Mariette se lança dans un flot de mots.

C'était une pauvre petite malheureuse qu'on venait d'engager comme fille de cuisine sauf qu'en plus d'aider à la cuisine on lui faisait faire tout un tas d'autres choses. Elle cirait les chaussures et nettoyait les poêles, trimbalait de lourds seaux de charbon de bas en haut de la maison, récurait les planchers et lavait les fenêtres, était au service de tout le monde. Elle avait quatorze ans mais était si malingre qu'elle en paraissait douze. En vérité, Mariette avait de la peine pour elle. Elle était tellement timide que quand, par hasard, on lui parlait, on avait l'impression que ses grands yeux effarés allaient lui sortir de la tête.

— Comment s'appelle-t-elle ? demanda Sarah qui était assise sur le bord de la table et, le menton posé dans les mains, écoutait Mariette avec attention.

Son nom était Becky. À l'office, d'après Mariette, on entendait toutes les cinq minutes quelqu'un ordonner : « Becky, fais ci ! » ou « Becky, fais ça ! »

Mariette sortie, Sarah resta assise à regarder le feu et à penser à Becky. Elle inventa une histoire dont la fillette était l'héroïne, une héroïne maltraitée. Elle se dit qu'apparemment elle n'avait jamais mangé à sa faim. Même ses yeux étaient affamés. Elle souhaitait la revoir mais, même si elle l'aperçut à diverses occasions dans l'escalier, elle sembla chaque fois si pressée qu'il fut impossible à Sarah de lui parler.

Quelques semaines plus tard, cependant, par une autre après-midi de brouillard, en entrant dans son salon personnel, elle se trouva face à une scène assez pathétique. Devant le feu qui brûlait, installée dans son fauteuil favori, avec des marques noires de charbon sur le nez et d'autres sur le tablier, son pauvre bonnet lui tombant à moitié sur le visage et son seau de charbon à demi-vide posé à ses pieds, Becky dormait profondément ; elle était allée au-delà de la fatigue que pouvait endurer son jeune corps pourtant dur à la peine.

On l'avait envoyée mettre les chambres en ordre pour le soir. Il y en avait beaucoup et elle avait couru tout le jour. Elle avait gardé l'appartement de Sarah pour la fin. Là, les pièces n'étaient pas comme les autres, nues et banales. Aux yeux de la petite fille de cuisine, le salon confortable de Sarah passait pour le comble du luxe bien que ce ne soit, en fait, qu'une petite pièce agréable et bien éclairée. Seulement il y avait là des images et des livres et des curiosités apportées des Indes. Il y avait un divan et le fauteuil bas moelleux. Émilie était installée sur son siège comme une déesse et il y avait toujours un bon feu qui brillait.

Becky gardait cette pièce pour la fin. Cela la

reposait de s'y rendre et elle espérait toujours pouvoir prendre quelques minutes pour s'asseoir dans le fauteuil bas et regarder autour d'elle et penser à la chance incroyable qu'avait cette enfant à qui tout cela appartenait et qui sortait, quand il faisait froid, avec des manteaux et des chapeaux qu'elle essayait d'entr'apercevoir par les fentes des grilles de la cour.

Cette après-midi-là, quand elle s'était assise, la sensation de soulagement dans ses petites jambes douloureuses avait été si merveilleuse, si exquise qu'elle avait fait du bien à son corps tout entier. La tiédeur et le bien-être qui émanaient du feu l'avaient envahie comme un enchantement et, alors qu'elle fixait les braises rougeoyantes, un petit sourire avait gagné son visage, sa tête avait penché en avant sans qu'elle s'en rende compte, ses yeux s'étaient fermés, et elle s'était profondément endormie. Quand Sarah entra, Becky n'était pas dans le salon depuis plus de dix minutes mais elle était plongée dans un sommeil aussi profond que si elle avait été, comme la Belle au bois dormant, en train de dormir depuis un siècle. Mais elle n'avait rien, la pauvre, de la Belle au bois dormant ! Elle avait seulement l'apparence d'une fille de cuisine, petite, vilaine, chétive et épuisée.

Sarah lui ressemblait aussi peu que si elle avait été une créature issue d'un autre Monde.

C'était une après-midi spéciale car elle remontait de la leçon de danse ; la venue du professeur de danse était un événement à la pension, même s'il avait lieu toutes les semaines. Les élèves revêtaient leurs plus jolies robes et comme Sarah dansait particulièrement bien, elle se trouvait considérablement mise en avant, Mariette ayant la consigne de la rendre aussi jolie et diaphane que possible.

Ce jour-là, on lui avait fait porter une robe couleur de rose et Mariette, qui s'était procuré quelques boutons de cette fleur, les avait tressés en couronne pour les poser dans sa chevelure brune. On lui avait enseigné une nouvelle danse délicieuse qui l'avait amenée à glisser et à voleter comme un grand papillon rose tout autour de la salle. Le plaisir qu'elle avait pris à cet exercice avait illuminé son visage d'un grand sourire heureux.

En entrant dans le petit salon, elle esquissa encore quelques pas de cette danse de papillon et Becky était là, avec son bonnet qui glissait de sa tête.

— Oh ! fit Sarah à voix basse en l'apercevant. La malheureuse !

Elle ne fut pas du tout fâchée de trouver son fauteuil préféré occupé par ce petit personnage malpropre. Au contraire, elle fut très contente.

Quand l'héroïne maltraitée de ses histoires s'éveillerait, elle pourrait parler avec elle. Elle s'approcha en silence et continua de la regarder. Becky émit un léger ronflement.

« Je voudrais qu'elle s'éveille toute seule, se dit Sarah. Je n'aime pas l'idée de la réveiller. En même temps, Miss Minchin serait furieuse si elle la trouvait ainsi. Je vais attendre quelques minutes. »

Elle s'assit sur le bord de la table en laissant pendre ses petites jambes couleur de rose, se demandant ce qu'il valait mieux faire. Miss Amélie pouvait entrer à tout moment et, alors, Becky serait sévèrement grondée.

« Elle est pourtant tellement fatiguée, songeait-elle. Tellement fatiguée ! »

Un morceau de charbon embrasé mit fin à ce moment d'irrésolution en tombant bruyamment sur la grille du foyer. Becky sursauta et ouvrit les yeux avec un soupir. Elle ne savait pas qu'elle s'était endormie. Elle s'était juste assise un instant pour contempler le feu et se retrouvait, dans un état proche de la panique, face à cette élève merveilleuse qui était perchée tout près d'elle, pareille à une fée rose, et qui l'observait avec curiosité.

Elle bondit sur ses pieds, porta les mains à son bonnet. Elle sentit qu'il penchait sur son oreille et tenta vivement de le remettre droit. Oh ! qu'elle s'était mise dans de sales draps ! S'être imprudemment endormie sur le fauteuil d'une jeune dame comme elle ! On la mettrait forcément à la porte sans même lui payer ses gages !

Elle émit un son qui ressemblait à un gros sanglot étouffé.

— Ho ! Mamoiselle ! Je vous demande ben pardon, mamoiselle ! Vraiment !

Sarah sauta au sol et vint tout près d'elle.

— N'aie pas peur, dit-elle comme elle se serait adressée à n'importe quelle petite fille. Cela n'a aucune importance.

— Je voulais pas le faire, mamoiselle. C'est à cause que le feu chauffait et que je suis si fatiguée. Mais ce n'était pas de l'impernitence !

Sarah eut un petit rire amical et posa la main sur son épaule.

— Tu étais fatiguée, dit-elle, tu n'y pouvais rien. Et tu n'es pas encore tout à fait réveillée.

Quel regard Becky lui lança ! Jamais elle n'avait entendu personne lui parler aussi gentiment, aussi amicalement. Elle avait l'habitude de se faire commander, gourmander et tirer les oreilles. Et celle-ci, dans sa splendeur rose d'après-midi de danse, la regardait comme si elle n'était pas du tout coupable, comme si elle avait le droit d'être fatiguée et même de s'endormir. Le contact léger de la petite main sur son épaule était la chose la plus incroyable qu'elle ait jamais connue.

— Vous êtes pas... pas très fâchée, mamoiselle ? haleta-t-elle. Vous allez pas rapporter à mâme la directrice ?

— Ho ! non ! s'écria Sarah ! Sûrement pas !

La panique qui se lisait sur le petit visage souillé de charbon lui fit brusquement tellement de peine que Sarah eut du mal à le supporter. Une de ses « idées » lui vint à l'esprit. Elle posa la main contre la joue de Becky.

— Tu sais, nous sommes pareilles ; je suis une petite fille comme toi. C'est juste un accident si je ne suis pas toi et toi, moi.

Becky ne comprit pas du tout. Son esprit ne pouvait pas assimiler des pensées aussi déroutantes et, pour elle, « accident » signifiait une catastrophe, comme quelqu'un qui tombe d'une échelle ou se fait piétiner par un cheval et qu'il faut porter à l'hôpital !

— Un z'accident, mamoiselle marmotta-t-elle respectueusement. C'est ça ?

— Oui, approuva Sarah avant de la regarder un moment d'un air rêveur.

Mais ensuite, ayant compris que Becky ne voyait pas de quoi elle parlait, elle s'adressa à elle différemment.

— Tu as fini ton travail ? demanda-t-elle. Prendrais-tu le risque de rester ici encore quelques minutes ?

Becky en perdit le souffle une nouvelle fois.

— Ici, mamoiselle ? Moi ?

Sarah courut à la porte, l'ouvrit, regarda dehors, écouta.

— Il n'y a personne dans les parages, expliqua-t-elle. Si tes chambres sont faites, tu pourrais rester un petit moment. Peut-être aimerais-tu un morceau de gâteau ?

Pour Becky, les dix minutes qui suivirent furent une espèce de délire. Sarah ouvrit un placard et lui servit une grosse part de gâteau. Elle sembla ravie de voir qu'il était dévoré à grosses bouchées. Elle parla, posa des questions et rit jusqu'à ce que les terreurs de Becky commencent à se calmer au point que cette dernière trouva le courage, si audacieux que cela lui parût, de poser à son tour une question ou deux.

— C'est, se risqua-t-elle après un long moment où elle n'était pas parvenue à détacher son regard de la robe rose, c'est votre robe la plus belle ?

— C'est une de mes robes de danse, répondit Sarah. Je l'aime bien. Et toi ?

L'espace de quelques secondes Becky demeura sans voix, d'admiration. Puis elle dit d'une voix pleine de respect :

— Une fois, j'ai aperçu une princesse. J'étais

debout avec la foule devant Covin[1] Gardin à regarder le grand monde qu'entrait dans l'opéra. Et pis y en a une que les gens ils ont regardée plus que les autres. Ils se sont dit les uns aux autres : « C'est la princesse ! » C'était une jeune femme mais elle était rose de partout, la robe et la cape et les fleurs, et tout et tout. J'ai pensé à elle à la minute que je vous ai vue assise là, sur la table, mamoiselle. Vous étiez comme elle !

— J'ai souvent songé, dit Sarah d'une voix rêveuse, que j'aimerais être une princesse. Je me demande quelle impression ça fait. Je crois que je vais faire semblant d'en être une.

Becky la regarda avec une expression de profonde admiration et, comme un peu plus tôt, ne comprit pas du tout. Elle la contemplait, en proie à une sorte d'adoration.

Bientôt, Sarah abandonna ses songeries pour lui poser une nouvelle question.

— Becky, est-ce que tu n'écoutais pas cette histoire ?

— Si mamoiselle, confessa Becky, un peu inquiète à nouveau. Je sais que j'avais pas le droit mais c'était si beau que... que je pouvais pas m'empêcher !

— J'ai bien aimé que tu écoutes, répondit

---

1. En réalité Covent Garden, le principal opéra de Londres. (N.d.T.)

Sarah. Quand on raconte des histoires, rien n'est plus agréable que de les raconter aux gens qui veulent les écouter. Je ne sais pas comment cela se fait. Aimerais-tu entendre la suite ?

Becky fut sans voix une fois de plus.

— Moi ? Que j'écoute ? cria-t-elle. Comme si que j'étais une élève, mamoiselle ? Tout ça sur le prince et sur les petits bébés sirènes tout blancs qui nageraient et qui riraient avec des étoiles dans les cheveux ?

Sarah fit « oui » de la tête.

— J'ai peur que tu n'aies pas le temps maintenant, ajouta-t-elle, mais si tu me dis à quelle heure tu viendras faire le ménage, j'essaierai d'être là et de t'en raconter un petit peu tous les jours, jusqu'à la fin. C'est une jolie histoire très longue et chaque fois je rajoute des morceaux.

— À ce compte, soupira Becky, je sentirais plus combien le seau à charbon il pèse ou toutes les misères que me fait la cuisinière, si je pouvais penser à ça !

— Tu peux ! dit Sarah, je te raconterai toute l'histoire !

La Becky qui redescendit l'escalier n'était pas la même que celle qui, un peu plus tôt, avait titubé sous le poids de sa charge de charbon en le montant. Elle avait une part supplémentaire de gâteau dans la poche, on l'avait réchauffée et nourrie, mais pas seulement avec du feu et du gâteau. Quelque chose d'autre l'avait réchauffée et nourrie et c'était Sarah.

Quand elle fut partie, Sarah se rassit sur la table, les pieds sur une chaise, les coudes sur les genoux et le menton posé dans les mains.

— Si j'étais une princesse, une vraie princesse, murmura-t-elle, je pourrais distribuer des richesses aux gens. Mais même en étant une princesse pour de faux, je peux trouver de petites choses à faire pour les autres. Des choses comme ça. Elle était aussi heureuse que si je lui avais donné de l'argent. Je crois que faire plaisir aux autres, c'est comme distribuer des richesses. Ce qui fait que j'ai distribué des richesses !

6

Les mines de diamants

Peu après, il survint quelque chose de très excitant. Ce ne fut pas seulement Sarah mais toute l'école qui se passionna et en fit son principal sujet de conversation des semaines durant. Dans une de ses lettres, le capitaine Crewe avait raconté une histoire palpitante. Un de ses anciens camarades de classe était venu le voir à l'improviste, aux Indes. Il était propriétaire d'un vaste territoire où on avait découvert des diamants et s'était lancé dans l'exploitation minière. Si tout se passait comme on pouvait l'espérer, il deviendrait riche à donner le vertige. Et comme il aimait bien son ancien camarade d'enfance, il lui avait proposé de partager cette énorme fortune en devenant son associé. C'est du moins ce que Sarah comprit de ses lettres.

Le fait est qu'aucune autre entreprise commerciale ou industrielle, fût-elle grandiose, n'aurait retenu son attention ou celle de ses camarades de classe. Mais « mines de diamants » avait un côté Mille et Une Nuits qui ne pouvait laisser personne indifférent. Sarah en fut enchantée et décrivit à Lottie et à Ermengarde des passages labyrinthiques dans les profondeurs de la terre, avec des pierres précieuses qui étincelaient dans les murs et le plafond, et des hommes sombres qui les arrachaient avec de pesants pics.

Ermengarde se délectait de cette histoire et Lottie voulait qu'on la lui raconte chaque soir. Lavinia était au comble du dépit et dit à Jessie qu'elle ne pensait pas qu'il pouvait exister quoi que ce soit qui ressemble à des mines de diamants.

— Ma maman a un anneau de diamants qui coûte quarante livres sterling, dit-elle. Et encore, il n'est pas bien gros. S'il existait des mines de diamants, certaines gens seraient si riches que c'en serait ridicule !

— Peut-être que Sarah deviendra tellement riche que c'en sera ridicule, gloussa Jessie.

— Elle est ridicule même sans être aussi riche ! dit Lavinia en tordant le nez.

— Je crois que tu la détestes.

— Non, pas du tout ! protesta Lavinia. Mais je ne crois pas à des mines pleines de diamants !

— Pourtant, il faut bien que les gens les trouvent quelque part, observa Jessie en gloussant de plus belle. Que penses-tu de ce que dit Gertrude ?

— J'ignore ce qu'elle dit ! Et je ne m'en soucie pas du tout si cela concerne cette sempiternelle Sarah !

— Bien sûr, ça la concerne ! Elle fait semblant d'être une princesse. C'est sa dernière trouvaille ! Elle y joue même pendant les heures de cours ! Elle dit que ça l'aide à mieux apprendre ses leçons. Elle veut qu'Ermengarde soit aussi une princesse mais Ermengarde dit qu'elle est trop grosse.

— C'est vrai, dit Lavinia, elle est trop grosse ! Et Sarah trop maigre !

Évidemment, Jessie se remit à glousser.

— Elle dit que cela n'a rien à voir avec l'allure qu'on a ni avec ce qu'on possède, poursuivit-elle. D'après elle, c'est juste affaire de ce qu'on pense et de la façon dont on agit.

— Je suppose qu'elle s'imaginerait qu'elle peut être une princesse même si elle était une mendiante, dit Lavinia. Appelons-la Son Altesse Royale !

Les cours étaient finis pour la journée et elles étaient assises près du poêle, à profiter de cet instant qu'elles aimaient entre tous. C'était le moment où Miss Minchin et Miss Amélie prenaient le thé dans un salon qui leur était strictement réservé. C'était l'heure où les conversations allaient bon train et où s'échangeaient nombre de secrets, surtout si les pensionnaires les plus jeunes se comportaient bien en ne se disputant pas bruyamment ou en courant partout, ce qui, il faut l'avouer, était souvent le cas. Quand elles faisaient du tapage, les grandes intervenaient généralement et les reprenaient ou les secouaient. Elles étaient censées maintenir l'ordre et il y avait un danger, si elles n'y parvenaient pas, de voir apparaître Miss Minchin ou Miss Amélie, ce qui mettrait fin à cette petite fête.

Lavinia et Jessie causaient quand Sarah entra avec Lottie qui avait l'habitude de la suivre partout en trottinant comme un jeune chien.

— La voici avec cette horrible petite, s'écria Lavinia. Si elle l'aime tant, pourquoi ne la garde-t-elle pas chez elle ? Elle va hurler pour avoir quelque chose dans moins de cinq minutes.

Il se faisait que Lottie avait eu envie de jouer dans la salle de classe et qu'elle avait demandé à sa mère adoptée d'y aller avec elle. Elle rejoignit un groupe de petites qui s'amusaient dans un coin. Sarah se glissa dans un fauteuil voisin de la fenêtre, ouvrit un livre et se mit à lire. C'était un livre sur la Révolution française et elle se plongea dans une impressionnante description des prisonniers de la Bastille. Ils étaient restés enfermés dans les tours si longtemps que, quand ils en avaient été tirés par leurs libérateurs, leurs longs cheveux gris et leurs barbes leur cachaient presque le visage ; ils avaient complètement oublié que le monde extérieur existait et ressemblaient plus à des fantômes qu'à des hommes.

Elle était transportée si loin de la classe qu'il ne lui fut pas du tout agréable d'être ramenée à la réalité par un hurlement de Lottie. Rien ne lui semblait plus difficile que de conserver son calme quand elle était dérangée brusquement alors qu'elle était plongée dans un livre. Les gens qui aiment les livres savent combien ce genre d'interruption peut mettre de mauvaise humeur. L'envie qu'on éprouve d'être excessif et hargneux n'est pas facile à réprimer

— J'ai la même impression que si on me frappait, avait avoué Sarah à Ermengarde une fois. Et j'ai envie de rendre le coup ! Il faut que je me reprenne très vite pour ne pas me montrer de méchante humeur !

Elle eut à se reprendre très vite quand elle posa son livre sur le fauteuil pour quitter à regret son coin si confortable.

Lottie avait commencé par faire des glissades, ce qui avait irrité Lavinia et Jessie à cause du bruit, puis elle avait fini par tomber et se faire mal au genou. Elle criait en sautillant au milieu d'un groupe mêlant amies et ennemies qui la consolaient ou la grondaient, suivant le cas.

— Arrête-toi immédiatement, espèce de petite pleurnicharde ! ordonnait Lavinia.

— Chuis pas une pleurni...icharde ! sanglotait Lottie. Sarah ! Sarah !

— Si elle ne s'arrête pas, Miss Minchin l'entendra, s'inquiétait Jessie. Lottie chérie, cesse de pleurer et je te donnerai un penny !

— Je veux pas ton penny ! sanglotait Lottie en regardant son genou grassouillet.

Sarah traversa prestement la salle, s'agenouilla près d'elle, l'entoura de ses bras.

— Voyons, Lottie ! Tu m'as promis... !

— Elle a dit que j'étais une pleurnicharde ! sanglota Lottie.

Sarah la cajolait mais lui parlait avec cette voix résolue qu'elle connaissait bien.

— Seulement si tu continues de pleurnicher, tu en seras vraiment une, ma chérie ! Tu as promis.

Lottie se rappelait qu'elle avait promis mais elle préféra se remettre à pleurer.

— Viens t'asseoir avec moi dans le fauteuil près de la fenêtre. Je te raconterai une histoire.

— Vraiment ? dit Lottie. Celle des mines de diamants ?

— Les mines de diamants ! explosa Lavinia. Cette espèce de petite nuisance, j'aimerais la baffer !

Sarah se releva vivement. Il faut garder présent à l'esprit qu'elle avait été dérangée brutalement pendant qu'elle lisait, qu'il avait fallu qu'elle fasse un effort pour venir s'occuper de son enfant adoptive. En outre, elle n'était pas un ange et elle n'aimait guère Lavinia.

— Moi aussi, dit-elle avec feu, j'ai envie de te gifler mais je ne veux pas le faire. En fait j'ai envie de te gifler, et je prendrais plaisir à te gifler mais je ne te giflerai pas. Nous ne sommes pas des enfants des rues et nous sommes assez grandes pour savoir comment nous comporter.

Pour Lavinia, ce fut l'occasion :

— Ha ! Oui ! Votre Altesse Royale ! dit-elle. Nous sommes des princesses, je crois. Du moins l'une d'entre nous. La pension va être à la mode, désormais, maintenant que Miss Minchin compte une princesse parmi ses ouailles !

Sarah bondit vers elle. On aurait dit qu'elle

allait lui arracher les oreilles. Et peut-être allait-elle le faire. Son jeu de faire semblant était son bonheur dans l'existence. Elle n'en parlait jamais aux filles qu'elle n'aimait pas. Jouer à se croire une princesse lui tenait beaucoup à cœur et elle était à la fois pudique et sensible sur le sujet. En fait, c'était presque un secret et voilà que Lavinia s'en moquait devant toute l'école. Elle sentit le sang lui monter au visage et faire tinter ses oreilles. Elle se contrôla pourtant. Quand on est une princesse, on ne pique pas une grosse colère. Elle baissa les bras et demeura immobile un petit moment. Quand elle parla, ce fut d'une voix posée mais elle leva la tête pour que toutes les filles présentes l'entendent.

— C'est vrai, dit-elle. Il m'arrive de faire semblant d'être une princesse. Je me prends pour une princesse en sorte de me comporter comme si j'en étais vraiment une !

Lavinia ne parvint pas à trouver une réponse adéquate. Elle avait constaté à diverses reprises qu'elle ne parvenait pas à trouver de réponse satisfaisante quand elle avait affaire à Sarah. Cela était sans doute dû au fait que toutes les autres filles semblaient plus ou moins d'accord avec Sarah. Elle constata qu'elles étaient toutes en train de prêter l'oreille. En réalité, elles adoraient les princesses et avaient envie d'en entendre un peu plus long sur le compte de celle-ci. Si bien qu'elles s'approchaient toutes de Sarah.

Lavinia ne trouva rien d'autre à dire que :

— Ma chère, j'espère que quand vous monterez sur le trône, vous ne nous oublierez pas.

Ce qui tomba complètement à plat.

— Oh ! que non ! répondit Sarah.

Ce furent les seuls mots qu'elle prononça. Elle resta immobile à regarder son adversaire dans les yeux jusqu'à ce que cette dernière prenne Jessie par le bras et tourne les talons.

Après cet épisode, les filles qui l'enviaient prirent l'habitude de l'appeler « princesse Sarah » quand elles voulaient se montrer dédaigneuses envers elle tandis que ses partisanes la désignaient de ce même nom quand elles parlaient d'elle avec affection. Personne, cependant, ne l'appela jamais « princesse » au lieu de Sarah mais ses adoratrices étaient enchantées du pittoresque et de la grandeur du titre. Miss Minchin elle-même, qui l'avait entendu, l'employa à plus d'une reprise lors de visites de parents, en jugeant que cela « posait » son établissement.

À Becky, cela semblait la chose la plus naturelle du monde. La relation entamée cette après-midi de brouillard où elle s'était réveillée pleine d'angoisse dans le fauteuil avait mûri et prospéré même s'il convient de dire que Miss Minchin et

Miss Amélie n'en savaient pas grand-chose. Elles savaient que Sarah était gentille avec la fille de cuisine mais elles ne savaient rien de ces délicieux moments volés quand, une fois les chambres faites à la vitesse de l'éclair, elle gagnait le salon de Sarah et posait le lourd seau à charbon avec un soupir de joie. Alors les histoires étaient racontées par épisodes, et des choses nourrissantes étaient soit avalées sur place soit rangées dans les poches pour être consommées le soir, quand Becky monterait à sa chambre, dans le grenier.

— Mais faut que je fais attention en mangeant, dit-elle un jour, pasque si je laisserais des miettes, les rats viendraient les prendre.

— Les rats ! s'exclama Sarah, horrifiée. Il y a des rats là-haut ?

— En quantité, mamoiselle, répondit Becky sans sembler émue. Il y a principalement des rats et des souris dans les greniers. On s'habitue au bruit qu'ils font quand ils rongent. Ils me gênent pas tant qu'ils courissent pas sur mon oreiller !

— Berk ! s'écria Sarah.

— On s'habitue à tout au bout d'un temps, dit Becky. Faut bien, mamoiselle, quand on est né rien d'autre que fille de cuisine. Je préfère mieux avoir des rats que des cafards.

— Moi aussi, je crois, dit Sarah. Je suppose qu'on peut se faire un ami d'un rat avec de la patience, tandis que je n'aimerais pas devenir l'amie d'un cafard.

Parfois Becky n'osait pas passer plus de quelques minutes dans le salon douillet et bien éclairé. Quand c'était le cas, peu de mots étaient échangés avant qu'une douceur ne disparaisse dans l'espèce de petit sac en toile d'allure démodée que Becky portait sous sa jupe, tenu à la taille par une bande de tissu.

Chercher et trouver des choses substantielles à manger capables de tenir dans un si petit volume donnait un surcroît d'intérêt à l'existence de Sarah. Quand elle sortait, en voiture ou à pied, elle détaillait les vitrines avec soin. La première fois qu'elle eut l'idée de rapporter deux ou trois petits pâtés à la viande, elle pensa qu'elle avait fait une vraie trouvaille. Quand elle les lui montra, les yeux de Becky scintillèrent.

— Oh, mamoiselle, murmura-t-elle, qu'ils vont être bons et nourrissants ! C'est surtout nourrissants qui compte. La génoise, c'est divin mais ça fond comme qui dirait... enfin vous comprenez. Ça, au moins, ça doit rester sur l'estomac.

— Hum ! dit Sarah d'un ton hésitant, je ne crois pas que ce serait très bien s'ils devaient y rester toujours mais je présume qu'ils seront substantiels.

Ils l'étaient, de même que les sandwichs au

bœuf achetés chez un traiteur, de même que les petits pains aux saucisses de Bologne. Avec le temps, Becky finit par perdre son air d'être perpétuellement affamé et le seau de charbon ne lui sembla plus aussi insupportablement pesant.

Si lourd fût-il et quelles que fussent l'humeur de la cuisinière et la rudesse des corvées qu'on lui collait sur le dos, elle pouvait toujours espérer son coup de chance de l'après-midi, la chance de retrouver Sarah dans son salon. En réalité, le seul fait de la voir lui aurait suffi, sans les pâtés à la viande. S'il y avait juste le temps de quelques mots, ils étaient toujours amicaux, des mots joyeux qui remettent le cœur à l'endroit. Et s'il y avait plus de temps, alors on lui racontait un épisode de l'histoire ou autre chose que Becky se rappelait quand elle montait dans sa chambre, au grenier, et qui, parfois, la tenait éveillée un long moment, à y repenser, après qu'elle s'était mise au lit. Sarah qui faisait inconsciemment ce qu'elle aimait le mieux, la Nature ayant fait d'elle un être généreux, ne savait pas ce qu'elle représentait pour Becky ni quelle merveilleuse bienfaitrice elle était à ses yeux. Si la Nature vous a fait généreux, vos mains sont ouvertes de naissance, de même que votre cœur. Et même s'il arrive que les mains soient vides, le cœur, lui, est plein, et alors on donne ces choses douces, chaleureuses et réconfortantes que sont l'accueil, l'écoute et le rire, car un rire aimable et joyeux est souvent la plus efficace des aides.

De toute sa pauvre vie pleine de difficultés, Becky avait à peine connu le rire. Sarah la faisait rire et riait avec elle. Et bien qu'aucune des deux ne le sache, ce rire était aussi nourrissant que les pâtés à la viande.

Quelques semaines avant le onzième anniversaire de Sarah, une lettre de son père arriva. Elle n'était pas rédigée avec le même entrain spirituel et un peu gamin que d'habitude. Il n'allait pas bien, visiblement surmené qu'il était par cette affaire de mines de diamants.

Tu vois, ma petite Sarah, écrivait-il, ton papa n'est pas du tout un homme d'affaires et les papiers et les chiffres l'ennuient. Il ne les comprend pas, au fond, et tout cela semble si énorme. Peut-être que si je n'avais pas la fièvre, je ne resterais pas éveillé une moitié de la nuit à m'agiter dans mon lit et que je ne passerais pas l'autre moitié à faire des cauchemars. Si ma petite dame était ici, je veux croire qu'elle me donnerait quelques bons conseils solennels. Tu le ferais, n'est-ce pas, ma petite dame ?

C'était une des plaisanteries favorites du capitaine Crewe que d'appeler sa fille « petite dame » parce qu'elle lui semblait si mûre pour son âge.

Il avait fait des préparatifs merveilleux pour son anniversaire. Entre autres choses, il avait commandé une poupée à Paris dont la garde-robe promettait d'être une merveille de perfection. Quand il avait écrit pour demander si une poupée ferait un cadeau acceptable, Sarah avait été très directe :

Je deviens très vieille, vois-tu, et, de ma vie, je n'aurai plus l'occasion de recevoir une autre poupée. Ce sera ma dernière. Il y a là quelque chose de solennel. Si je pouvais écrire des poésies, un poème intitulé La Dernière Poupée *serait très beau, j'en suis sûre. Mais je ne sais pas. J'ai essayé. C'était à se tordre de rire. Bien sûr, personne ne pourra jamais prendre la place d'Émilie mais je respecterai beaucoup Dernière Poupée. Et je sais que l'école l'aimera. Elles raffolent toutes de poupées même si les grandes, celles qui ont quinze ans, prétendent qu'elles sont trop grandes.*

Quand il lut cette lettre, dans sa maison coloniale, aux Indes, le capitaine Crewe souffrait d'un terrible mal de tête. Le bureau, devant lui, était submergé de papiers et de lettres qui le préoccupaient et le remplissaient d'inquiétude mais il rit comme il n'avait plus ri depuis des semaines

— Oh ! dit-il, elle est chaque année un peu plus amusante ! Si seulement ces affaires pouvaient s'arranger et me laisser le loisir de courir au pays pour la voir. Que ne donnerais-je pas pour avoir ses petits bras autour de mon cou en ce moment même ! Que ne donnerais-je pas !

L'anniversaire devait être célébré avec de grandes festivités. La salle de classe serait décorée et il devait y avoir une réception. Les boîtes contenant les cadeaux seraient ouvertes solennellement et un brillant festin serait servi dans les appartements privés de Miss Minchin.

Quand le jour arriva, la pension était un tourbillon d'excitation. Comment se passa la matinée, personne ne le sut tant il y avait de préparatifs à faire. La salle de classe fut ornée de guirlandes de houx ; les pupitres avaient été enlevés et les bancs, recouverts de tissu rouge, étaient rangés le long des murs.

Sarah entra dans son salon, ce matin-là. Elle trouva sur la table un petit paquet mal fait, enveloppé de papier marron. Elle sut que c'était un cadeau et devina de qui il venait. Elle l'ouvrit avec attendrissement. C'était un coussin à épingles carré fait de flanelle rouge pas trop propre dans laquelle des épingles noires étaient piquées pour former ces mots : *Heureu Aniversère !*

— Oh ! s'écria Sarah à qui ce présent faisait chaud au cœur. Quelle peine elle s'est donnée ! Je l'aime tant qu'il... qu'il me rend triste !

Mais tout de suite après, elle devint perplexe. Au-dessous du coussin était fixée cette carte : *Miss Amélie.*

Sarah la tourna et la retourna.

— Miss Amélie, se disait-elle. Comment est-ce possible ?

Elle entendit alors qu'on ouvrait précautionneusement la porte et vit apparaître Becky. Il y avait un grand sourire affectueux sur son visage tandis qu'elle s'avançait doucement. Puis elle s'immobilisa et, visiblement anxieuse, se mit à se tordre les doigts.

— Il vous plaît, mademoiselle Sarah ?

— S'il me plaît ? s'écria Sarah. Mais Becky chérie, tu l'as fait toi-même !

Becky renifla très fort, de joie, et ses yeux semblèrent humides tant elle était contente.

— C'est que de la flanelle et elle était pas vraiment neuve mais je tenais à vous donner quelque chose et je l'ai fabriqué la nuit. Je savais que vous pouvez faire semblant que ça serait du satin avec des épingles en diamant. J'ai essayé de faire semblant en le fabriquant. Et la carte, c'était mal que je la prenne dans la corbeille à papier ? Non, hein ! mamoiselle ? C'était pas mal ? Mamoiselle Mélie l'avait jetée. J'avais pas de carte à moi mais je savais que ce serait pas un vrai cadeau si y avait pas une carte avec alors j'ai épinglé celle de mamoiselle Mélie !

Sarah courut à elle et la serra dans ses bras. Elle n'aurait pas pu s'expliquer – ni à personne d'autre – pourquoi elle avait une boule dans la gorge.

— Oh ! Becky, s'exclama-t-elle avec un curieux petit rire. Que je t'aime, Becky !

— Oh ! mamoiselle ! soupira Becky. Merci, c'est gentil ! Mais ça vaut pas tout ça. La flanelle est même pas neuve !

[illegible]uand Sarah fit son entrée dans la [illegible]alle de
classe d'études de l'autre l'apercevant [illegible] ur à la
[illegible]e d'une scène [illegible]ge. Mlle [illegible], dans
[illegible]
[illegible]
[illegible] Lavinia [illegible] d'une
[illegible] propre et il [illegible]
[illegible] avec une [illegible] Sarah [illegible]
[illegible] Mlle [illegible]
[illegible]

7

Les mines de diamants, à nouveau

Quand Sarah fit son entrée dans la salle de classe décorée de houx, l'après-midi, ce fut à la tête d'une sorte de cortège. Miss Minchin, dans sa meilleure robe de soie, la tenait par la main. Un domestique suivait en portant la boîte qui contenait Dernière Poupée. Une femme de chambre portait une deuxième boîte et Becky, dotée d'un tablier propre et d'un bonnet neuf, fermait la marche avec une troisième. Sarah aurait préféré entrer comme d'habitude mais Miss Minchin l'avait fait chercher et, à l'occasion d'un petit entretien dans son salon privé, avait exposé ses vues sur les circonstances.

— Ce n'est pas un événement ordinaire, avait-elle dit. Je ne veux pas qu'on fasse comme si c'était le cas !

Si bien que Sarah fut menée en grande pompe et qu'elle se sentit toute timide quand, à son entrée, les grandes filles la dévisagèrent en se poussant du coude tandis que les petites se tortillaient joyeusement sur leur chaise.

— Silence, mesdemoiselles ! dit Miss Minchin en réponse au murmure qui se fit. James, posez la boîte sur la table et ôtez le couvercle. Emma, posez la vôtre sur la chaise ! Becky !

Le rappel à l'ordre était brusque et sévère.

Dans son excitation, Becky s'était oubliée et souriait à Lottie qui gigotait, en proie à une joyeuse impatience. La voix grondeuse la fit sursauter au point qu'elle faillit lâcher la boîte et la petite révérence qu'elle fit aussitôt pour s'excuser était si drôle que Lavinia et Jessie pouffèrent de rire.

— Veuillez rester à votre place et ne pas dévisager les demoiselles, dit Miss Minchin. Vous vous oubliez ! Posez cette boîte !

Becky obéit en toute hâte et, très inquiète, s'empressa de retourner près de la porte.

— Vous pouvez nous laisser, dit Miss Minchin aux domestiques avec un geste de la main.

Becky se mit respectueusement de côté pour laisser passer les domestiques plus âgés. Elle ne put pas s'empêcher de jeter un long coup d'œil à la boîte, sur la table. Quelque chose en satin bleu apparaissait entre les plis du papier de soie.

— S'il vous plaît, Miss Minchin, dit Sarah brusquement, Becky ne pourrait-elle pas rester ?

C'était une demande audacieuse. Miss Minchin ne put retenir un petit sursaut de surprise. Puis elle chaussa ses lunettes et regarda son élève vedette, l'air mal à son aise.

— Becky ? s'exclama-t-elle. Ma très chère Sarah !

Sarah fit un pas vers elle.

— Je le voudrais parce que je sais qu'elle aimera voir les cadeaux. C'est une petite fille, elle aussi, vous savez.

Miss Minchin était scandalisée. Son regard passa vivement d'un visage à l'autre.

— Ma chère Sarah, dit-elle, Becky est la fille de cuisine. Les filles de cuisine ne sont pas... heu !... des petites filles.

Il ne lui était jamais venu à l'idée de les considérer sous cet aspect. Les filles de cuisine étaient des machines qui charriaient le charbon et s'occupaient du chauffage.

— Mais Becky en est une ! dit Sarah. Et je sais que cela lui ferait plaisir. Laissez-la rester, parce que c'est mon anniversaire.

Miss Minchin répliqua avec infiniment de dignité :

— Si vous le demandez comme une faveur pour votre anniversaire, eh bien soit ! qu'elle reste. Rébecca, remerciez Mlle Sarah de sa grande gentillesse.

Pleine d'espoir, Becky s'était tenue dans son coin à tortiller l'ourlet de son tablier ; elle s'avança en faisant des révérences. Entre les yeux de Sarah et les siens passa un courant d'amicale complicité tandis que les mots se bousculaient dans sa bouche :

— Oh ! s'il vous paît mamoiselle ! Je suis si reconnaissante ! Pour ça oui, je voulais voir la poupée ! Merci mamoiselle ! Et merci mâme ! ajouta-t-elle en se tournant vers Miss Minchin et en s'inclinant très bas, merci bien de le permettre !

Miss Minchin agita à nouveau la main et, cette fois, désigna le coin proche de la porte.

— Allez vous tenir là-bas, ordonna-t-elle. Pas trop près des demoiselles !

Becky alla à sa place en souriant. Peu lui importait où on l'envoyait du moment qu'elle avait la chance de rester dans la salle au lieu de descendre à l'office pendant que se déroulaient les festivités. Entre-temps Miss Minchin se raclait la gorge, signe qu'elle n'allait pas manquer de prendre la parole à nouveau :

— Maintenant, mesdemoiselles, j'ai quelques mots à vous dire, annonça-t-elle.

— Elle va nous faire un discours, murmura une des fillettes. J'aimerais bien qu'elle ait déjà fini !

Sarah était mal à l'aise. Comme c'était sa fête, elle allait probablement constituer le sujet du discours. Ce n'est pas agréable de se tenir dans une salle face à quelqu'un qui fait tout un discours sur vous !

— Vous savez toutes, mesdemoiselles, commença le discours – car c'en était bien un ! – que notre chère Sarah a onze ans aujourd'hui...

— Chère Sarah ! murmura Lavinia.

— ... Plusieurs d'entre vous ont déjà eu onze ans mais l'anniversaire de Sarah est un peu différent de celui des autres petites filles. Quand elle sera grande, elle héritera d'une grosse fortune qu'il sera de son devoir de dépenser de façon méritoire.

— Les mines de diamants, souffla Jessie en gloussant.

Sarah ne l'entendit pas. Elle se tenait debout, les yeux fixés sur Miss Minchin, et commençait à avoir chaud. Quand Miss Minchin parlait d'argent, elle avait l'impression de la haïr et, bien sûr, haïr des adultes était plutôt irrespectueux.

— Quand son cher papa, le capitaine Crewe, est venu des Indes pour me la confier, continua le discours, il m'a dit, en matière de plaisanterie : « J'ai bien peur qu'elle ne soit très riche, Miss Minchin. » Ma réponse a été : « L'éducation qu'elle recevra dans ma pension, capitaine Crewe, sera le précieux ornement de sa richesse, fût-elle très importante. » Depuis, Sarah est devenue mon élève la plus brillante. Son français et sa danse font honneur à la pension. Ses manières qui vous ont conduites à la surnommer princesse Sarah sont parfaites. Son amabilité, eh bien ! elle en fait montre en vous offrant cette fête. J'espère que vous appréciez, toutes, sa générosité. Et je veux que vous l'exprimiez en disant maintenant, toutes ensemble et d'une voix forte : « Merci, Sarah ! »

Toute la classe se mit debout comme elle l'avait fait ce matin-là dont Sarah se souvenait si bien.

— Merci Sarah, dit la classe en chœur.

Et il faut avouer que Lottie sautait sur place. Sarah resta intimidée un court moment puis elle fit une révérence particulièrement gracieuse.

— Merci à vous toutes, dit-elle, de bien vouloir assister à ma fête.

— Très chic à vous, vraiment, Sarah ! dit Miss Minchin. C'est ce que dit une vraie princesse quand les gens l'acclament. Et vous, Lavinia, ajouta-t-elle d'un ton acide, le son que vous venez de produire a tout d'un cheval qui renâcle ! Même si vous êtes envieuse de votre camarade, efforcez-vous d'exprimer vos sentiments de façon plus élégante... À présent, je vous laisse vous amuser entre vous.

Dès l'instant où Miss Minchin eut quitté la pièce, le malaise qu'elle y faisait régner se dissipa. À peine la porte refermée, les sièges se vidèrent. Il y eut une ruée vers les cadeaux. Sarah se pencha vers l'une des boîtes avec un sourire ravi.

— Ce sont des livres, dit-elle.

Les petites filles se mirent à murmurer, l'air déçu. Ermengarde sembla même effarée.

— Ton papa t'envoie des livres pour ton anniversaire ? demanda-t-elle. Alors, il n'est pas différent du mien. N'ouvre surtout pas le paquet, Sarah !

— Mais j'aime les livres ! dit Sarah en riant.

Elle se tourna pourtant vers la plus grosse boîte.

Quand elle en tira Dernière Poupée, celle-ci était si magnifique que toutes les filles poussèrent des cris de joie avant de rester muettes d'extase.

— Elle est presque aussi grande que Lottie, finit par balbutier quelqu'un.

Lottie tapa dans ses mains et se mit à sautiller de joie.

— Elle est habillée pour sortir au théâtre, dit Lavinia. Son manteau est doublé d'hermine.

— Oh ! s'écria Ermengarde, elle a des jumelles à la main ! Des jumelles bleu et doré !

— Voici sa malle, dit Sarah. Ouvrons-la et voyons ses affaires !

Elle s'assit par terre et tourna la clef. Les filles se bousculaient autour d'elle et criaient chaque fois qu'elle tirait un plateau de la malle pour leur en montrer le contenu. Jamais la salle de classe n'avait connu pareil tumulte. Il y avait des cols de fourrure et des bas et des mouchoirs en soie. Il y avait un coffret à bijoux renfermant une tiare qui semblait faite de vrais diamants ; il y avait un manteau en peau de phoque avec son manchon ; il y avait des tenues de soirée, des tenues de sport, des tenues de jour ; il y avait des chapeaux, des robes de cocktail, des éventails.

Lavinia et Jessie elles-mêmes oublièrent qu'elles étaient trop grandes pour s'intéresser aux poupées ; elles poussèrent des cris d'exclamations et prirent les affaires en main pour les voir de plus près.

— Imaginons, dit Sarah alors qu'elle se tenait debout près de la table en train de poser un grand chapeau de velours noir sur la tête de la propriétaire de toutes ces merveilles, imaginons qu'elle comprend notre langage et qu'elle est fière d'être ainsi admirée.

— Tu es toujours en train d'imaginer des choses, dit Lavinia avec un air tout à fait supérieur.

— Je le sais bien, dit Sarah sans se troubler. J'aime ça. Rien n'est plus agréable que d'imaginer des choses. C'est un peu comme être une fée. Quand on imagine quelque chose assez fort, il semble que cela devient vrai.

— C'est très beau d'imaginer des choses quand on a tout, dit Lavinia. Mais pourrais-tu imaginer et faire semblant si tu étais une mendiante et si tu vivais dans une mansarde ?

Sarah cessa d'arranger les plumes d'autruche de Dernière Poupée et resta songeuse un moment.

— Je crois que je pourrais, dit-elle. Quand on est une mendiante, il faut d'autant plus imaginer et faire semblant. Mais ce n'est peut-être pas si facile !

Par la suite elle repensa souvent à quel point il était étrange que, précisément au moment où elle prononçait ces mots, Miss Amélie soit entrée dans la pièce.

— Sarah, dit-elle, l'homme d'affaires de ton papa, M. Barrow, est venu voir Miss Minchin et comme il doit lui parler en tête à tête et que le buffet et les rafraîchissements sont servis dans son salon privé, il vaudrait mieux que vous veniez maintenant de sorte que ma sœur puisse s'entretenir avec lui ici, dans la salle de classe.

Un buffet n'est jamais chose à dédaigner, quel que soit le moment, et bien des yeux brillèrent. Miss Amélie organisa le cortège selon le décorum puis, marchant en tête avec Sarah, elle emmena les filles, laissant Dernière Poupée sur la table avec, répandues autour d'elle, toutes les merveilles de sa garde-robe, des robes et des manteaux sur les dossiers des chaises, des piles de jupons bordés de dentelle sur les sièges eux-mêmes.

Becky, qui n'avait certainement pas droit au buffet, resta un moment à admirer toutes ces splendeurs, ce qui constituait une indiscrétion. Miss Amélie lui avait dit :

— Retournez au travail, Becky !

Mais elle s'était arrêtée pour ramasser, avec mille précautions, d'abord un manchon puis une cape et, alors qu'elle était en extase devant toutes ces affaires, elle entendit Miss Minchin qui venait. Terrorisée à l'idée d'être surprise en train de prendre des libertés, elle se jeta sous la table dont le long tapis la dissimula complètement.

Miss Minchin entra, accompagnée d'un petit homme sec aux traits pointus qui semblait préoccupé. De son côté Miss Minchin semblait préoccupée, elle aussi, et considérait le petit homme avec un mélange d'irritation et d'incrédulité.

Elle s'assit avec beaucoup de dignité et de raideur, désigna un siège de la main.

— Asseyez-vous, je vous en prie, monsieur Barrow.

M. Barrow ne s'assit pas tout de suite. Son attention semblait attirée par Dernière Poupée et les affaires qui l'entouraient. Il posa ses lunettes sur son nez et la contempla en hochant la tête. Dernière Poupée paraissait ne pas se soucier de sa mine désapprobatrice. Elle était assise et lui renvoyait un sourire indifférent.

— Cent livres, fit remarquer M. Barrow. Matériaux de prix, confection par une modiste, à Paris. Ce jeune monsieur dépensait son argent sans retenue.

Miss Minchin se sentit offensée. L'homme de loi dénigrait son meilleur client en se montrant plutôt cavalier. Les hommes de loi n'ont pas le droit de se montrer cavalier.

— Je vous demande pardon, monsieur Barrow, dit-elle sèchement, je ne comprends pas !

— Des cadeaux d'anniversaire, poursuivit M. Barrow sur le même ton critique, à une enfant de onze ans. J'appelle ça une folle extravagance !

Miss Minchin se redressa pour se tenir encore plus raide.

— Le capitaine Crewe est un homme fortuné, dit-elle. Les mines de diamants à elles seules...

M. Barrow se pencha vers elle.

— Les mines de diamants..., commença-t-il. Il n'y en a pas. Il n'y en a jamais eu !

Miss Minchin se leva brusquement de son siège.

— Quoi ! glapit-elle. Que voulez-vous dire ?

— En tout cas, continua M. Barrow assez sèchement, il aurait mieux valu qu'il n'en existât pas.

— Aucune mine de diamants ? articula Miss Minchin en se cramponnant au dossier de son siège avec l'impression qu'un rêve splendide s'éloignait d'elle en se dissipant.

— Les mines de diamants dispensent plus souvent la ruine que la richesse, dit M. Barrow. Quand un individu se place entre les mains d'un ami cher et qu'il n'est pas un homme d'affaires lui-même, mieux vaut pour lui se tenir loin des mines de diamants de son cher ami, ou de ses mines d'or, ou de n'importe quelles mines dans lesquelles le cher ami lui demande d'investir tout son argent. Feu le capitaine Crewe...

Là, Miss Minchin le coupa. Presque hors de souffle, elle lança :

— Feu le capitaine Crewe ! Vous ne venez pas me dire que le capitaine Crewe est...

— Il est mort, chère madame, répliqua M. Barrow brutalement. Mort de la fièvre et d'ennuis financiers, les deux combinés. La fièvre ne l'aurait peut-être pas tué s'il n'avait pas été rongé par les soucis. Et peut-être les soucis l'auraient-ils finalement épargné si la fièvre ne s'en était pas mêlée. Mais le capitaine Crewe est mort.

Miss Minchin se laissa retomber dans son siège. Les mots qu'il venait de prononcer l'emplissaient d'inquiétude.

— Quel genre de soucis financiers avait-il ? demanda-t-elle.

— Les mines de diamants, répondit M. Barrow, le cher ami et la ruine.

Miss Minchin s'étouffa.

— La ruine ! pantela-t-elle.

— Il a perdu jusqu'à son dernier penny. Ce jeune homme avait trop d'argent. Son ami a commis une folie avec ces mines de diamants. Il y a mis toute sa fortune et toute celle du capitaine Crewe. Puis l'ami a disparu ; le capitaine Crewe avait déjà la fièvre quand la nouvelle lui est parvenue. Le choc a été trop rude pour lui. Il est mort en délirant, en réclamant sa fille et sans laisser un penny.

Désormais, Miss Minchin comprenait. Jamais, de sa vie, elle n'avait reçu semblable secousse. Son élève vedette, son client vedette étaient balayés de sa pension sélecte d'un coup ! Elle eut le sentiment d'être outragée et volée et qu'il fallait en blâmer le capitaine Crewe, Sarah et M. Barrow à parts égales.

— Vous voulez dire, cria-t-elle, qu'il n'a rien laissé ? Que Sarah n'aura aucun bien ? Que cette enfant est à présent une mendiante ? Qu'elle reste à ma charge en tant que pauvresse et non comme une riche héritière ?

M. Barrow était un homme de loi avisé et préféra se dégager de toute responsabilité très clairement et sans délai.

— C'est véritablement une mendiante, répondit-il. Et elle tombe effectivement à votre charge dans la mesure où elle reste sans aucune parenté, du moins à notre connaissance.

Miss Minchin eut un sursaut. Elle donna l'impression qu'elle allait se précipiter vers la porte et courir arrêter net la fête qui battait son plein joyeusement et plutôt bruyamment autour du buffet.

— C'est monstrueux, dit-elle, en ce moment elle est dans mon salon privé, habillée de gaze de soie et de jupons en dentelle, à donner une fête à mes frais.

— Si elle donne une fête, chère madame, c'est forcément à vos frais, dit M. Barrow placidement. Barrow et Skipworth refusent toute responsabilité. Jamais la fortune d'un homme n'a été aussi totalement anéantie. Le capitaine Crewe est mort sans payer notre dernière facture, et c'était une grosse facture.

Miss Minchin se tourna vers la porte. Son indignation avait augmenté. C'était pire que dans le pire des cauchemars.

— Je suis dans la même situation que vous ! cria-t-elle. J'étais tellement sûre du paiement que j'ai engagé toutes sortes de dépenses ridicules pour cette enfant. J'ai payé cette poupée et sa garde-robe extravagante. L'enfant devait avoir tout ce qu'elle voulait. Elle a une voiture et un poney, et j'ai payé pour entretenir les deux depuis la venue du dernier chèque.

À l'évidence, M. Barrow n'avait pas l'intention de rester écouter les plaintes de Miss Minchin. Il avait exposé clairement la position de sa compagnie et rapporté les faits tels qu'ils étaient. Il ne ressentait pas non plus de sympathie particulière pour la directrice de la pension.

— Vous feriez bien de ne plus rien payer, chère madame, remarqua-t-il, sauf si vous souhaitez en faire cadeau à cette jeune fille. Elle n'a plus un sou vaillant désormais.

— Mais que dois-je faire ? demanda Miss Minchin comme si elle pensait qu'il était entièrement du devoir de l'homme de loi d'arranger les choses. Que dois-je faire ?

— Il n'y a rien à faire, dit M. Barrow en repliant ses lunettes et en les rangeant dans sa poche. Le capitaine Crewe est mort. Sa fille est sans le sou. Vous êtes seule responsable d'elle.

— Je ne suis pas responsable d'elle, et je refuse qu'on m'en impose la responsabilité !

Miss Minchin était blême de rage. M. Barrow tourna les talons pour s'en aller.

— Je n'ai rien à voir là-dedans, chère madame, dit-il, indifférent. Barrow et Skipworth n'est pas responsable. Tout à fait désolé que les choses aient tourné de la sorte, bien sûr.

— Si vous pensez qu'on va me l'imposer, vous vous trompez grandement, haleta Miss Minchin. J'ai été trompée et volée ; je la jetterai à la rue !

Si elle n'avait pas été aussi fort en colère, elle aurait eu la discrétion de ne pas dire cela. Mais en se voyant chargée du fardeau d'une enfant élevée de façon extravagante qu'elle n'avait jamais vraiment supportée, elle avait perdu son contrôle. Sans se troubler, M. Barrow se dirigea vers la porte.

— À votre place, je ne le ferais pas, chère madame, dit-il calmement, cela ferait mauvais effet. Ce serait une bien triste publicité pour votre établissement : une élève jetée dehors sans le sou et sans aucun soutien.

En homme d'affaires avisé, il savait ce qu'il

disait. Il savait que Miss Minchin avait aussi le sens des affaires et qu'elle serait assez maligne pour comprendre qu'il avait raison. Elle ne pouvait pas se permettre un acte qui amènerait tout le monde à parler de sa cruauté et de son manque de cœur.

— Mieux vaut la garder et l'utiliser, ajouta-t-il. Je crois que c'est une enfant intelligente. En grandissant, elle vous rendra de sérieux services.

— Il faudra bien qu'elle m'en rende avant qu'elle grandisse, s'exclama Miss Minchin.

— Je vous fais confiance pour cela, chère madame, dit M. Barrow avec un petit sourire sinistre. Je vous fais confiance. Bonne journée !

Il s'inclina et tira la porte derrière lui. Un long moment, Miss Minchin demeura immobile en fixant cette dernière. Ce qu'il venait de dire était vrai. Elle le savait. Elle ne disposait d'aucun recours. Son élève vedette avait fondu pour devenir une moins-que-rien, une petite pauvresse sans amis. Tout l'argent qu'elle avait avancé pour son compte était perdu sans aucun espoir de retour.

Alors qu'elle se tenait immobile, pétrifiée par cet affront que le sort lui infligeait, elle entendit une rumeur joyeuse en provenance de son salon privé où avait lieu la fête. Elle pouvait au moins mettre un terme à ça !

Elle allait vers la porte quand celle-ci fut

ouverte par Miss Amélie qui, quand elle vit l'air irrité de sa sœur, fit un pas en arrière, visiblement inquiète.

— Que se passe-t-il ? demanda-t-elle.

La voix de Miss Minchin était féroce quand elle demanda :

— Où est Sarah Crewe ?

Miss Amélie était désarçonnée.

— Sarah ? dit-elle. Elle est avec les autres enfants dans ton salon, bien sûr !

— A-t-elle une robe noire au sein de sa somptueuse garde-robe ? s'enquit-elle d'une voix acide.

— Une robe noire ? dit Miss Amélie. Une robe noire... Elle a des robes de toutes les couleurs mais une noire... une noire ?

Miss Amélie devint pâle.

— Non. Ah si ! dit-elle. Mais elle est trop courte. Elle n'a que sa vieille robe noire en velours mais elle a trop grandi pour qu'elle lui aille.

— Va lui dire d'ôter cette robe incongrue de gaze rose et de mettre sa robe noire, qu'elle lui aille ou pas. Pour elle, les élégances sont finies !

Miss Amélie se mit à tordre ses mains grassouillettes et à pleurer.

— Oh ! ma sœur, dit-elle en reniflant. Qu'a-t-il bien pu arriver ?

Miss Minchin ne mâcha pas ses mots.

— Le capitaine Crewe est mort. Il n'a pas laissé

un seul penny. Cette fille gâtée, bichonnée et fantasque n'est plus rien qu'une pauvresse laissée à ma charge !

Miss Amélie se laissa lourdement tomber dans le siège le plus proche.

— J'ai dépensé des centaines de livres sterling en bêtises pour elle et je ne serai pas remboursée d'un penny ! Mets fin à cette fête ridicule ! Et fais-la changer de robe tout de suite !

— Moi ? demanda Miss Amélie en tremblant. Il faut que ce soit moi qui aille lui dire... maintenant ?

— Maintenant ! fut la réponse sauvage qu'elle obtint. Au lieu de rester là les yeux écarquillés comme une oie. Va !

La malheureuse Miss Amélie avait l'habitude de se faire traiter d'oie. Elle savait qu'en réalité, elle ressemblait à une oie et qu'on laissait à cette oie le soin d'accomplir bien des choses désagréables. C'était embarrassant d'entrer dans une pièce pleine d'enfants joyeux et de dire à celle qui donnait la fête qu'elle était brusquement devenue une petite pauvresse et qu'elle devait monter dans sa chambre ôter sa belle robe rose pour en passer une noire qui ne lui allait même plus. Mais il fallait le faire. Et ce n'était sûrement pas le moment de poser des questions.

Elle se frotta les yeux avec son mouchoir

jusqu'à ce qu'ils soient tout à fait rouges. Puis elle se leva et quitta la pièce sans se risquer à dire un mot de plus. Quand sa sœur aînée lui parlait comme elle venait de le faire, en arborant cette tête-là, le plus sage était d'obéir sans faire de commentaire.

Miss Minchin traversa la pièce en se parlant à elle-même sans se rendre compte de ce qu'elle faisait. Au cours de l'année écoulée, l'histoire des mines de diamants lui avait suggéré toutes sortes de possibilités. Même les tenancières de pensions sélectes peuvent faire fortune à la bourse avec le soutien de propriétaires de mines. Et maintenant, au lieu de comptabiliser des gains potentiels, il lui fallait faire le bilan de ses pertes.

— La princesse Sarah, vraiment ! dit-elle. Cette enfant a été dorlotée comme une reine !

Elle passait près de la table quand le bruit d'un long sanglot venant de sous le tapis la fit sursauter.

— Qu'est-ce que c'est ? s'exclama-t-elle, en colère.

Le sanglot se fit entendre de nouveau. Elle se pencha et souleva le coin du tapis qui pendait jusqu'au sol.

— Comment osez-vous ? s'écria-t-elle. Comment osez-vous ? Sortez de là immédiatement !

Ce fut la pauvre Becky qui sortit, le bonnet penché sur un côté et le visage écarlate à force de larmes qu'elle retenait.

— S'il vous plaît, mâme la directrice, c'est juste moi ! expliqua-t-elle. Je sais que j'aurais pas dû mais je regardais la poupée et j'ai pris peur pasque vous êtes arrivée et je m'ai glissée sous la table !

— Vous avez été là tout le temps à écouter ?

— Non ! mâme la directrice ! dit Becky en faisant des révérences. Je n'écoutais pas. J'ai cru que je pourrais ressortir sans que vous m'auriez vue mais j'ai pas pu et j'ai resté. Je n'ai pas écouté, mâme, pour rien au monde. Mais j'ai pas pu m'empêcher d'entendre.

Soudain ce fut comme si sa peur de la terrible femme qui était face à elle s'envolait. Elle se mit à pleurer à chaudes larmes.

— Oh ! s'il vous plaît, mâme la directrice. Je sais que vous allez me mettre dehors mais je suis tellement désolée pour cette pauvre mamoiselle Sarah, tellement désolée !

— Sortez d'ici, ordonna Miss Minchin.

Becky fit une autre révérence ; des larmes coulaient en abondance sur ses joues.

— Je m'en vais, mâme, dit-elle en tremblant. Mais y a queque chose que je veux vous demander. Miss Sarah qu'était une demoiselle si riche, qu'on la servait et tout et tout, qu'est-ce qu'elle va devenir maintenant qu'elle aura plus aucune domestique ? S'il vous plaît, laissez-moi le faire, son service une fois que j'aurai fini avec mes pots et mes bouilloires ! Je les astiquerai plus vite si vous me laissez faire son service à elle après, maintenant qu'elle est pauvre ! Pauvre mamoiselle Sarah, mâme, qu'on appelait princesse !

Tout cela eut pour résultat de mettre Miss Minchin encore plus en colère. Que la fille de cuisine se range du côté de Sarah, cette petite que, décidément, elle s'en rendait compte de mieux en mieux, elle n'avait jamais aimée, voilà qui dépassait les bornes ! Elle tapa du pied.

— Certainement pas ! C'est elle qui va être à son propre service et à celui des autres à présent ! Et sortez immédiatement ou je vous chasse !

Becky rabattit son tablier sur sa tête et s'enfuit. Elle descendit l'escalier en courant jusqu'à l'office. Là, elle s'assit au milieu des pots et des bouilloires et pleura comme si son cœur allait se rompre.

— C'est juste comme celles des histoires, se lamentait-elle, quand les pauvres princesses elles se retrouvent à la rue !

Miss Minchin n'avait jamais paru aussi calme et raide que quand Sarah vint la voir, quelques heures plus tard, en réponse à un message qu'elle lui avait adressé. Déjà à ce moment-là, il sembla à Sarah que la fête d'anniversaire avait été un rêve ou une chose qui se serait produite des années auparavant et dans la vie d'une autre petite fille.

Toute trace de fête avait disparu ; le houx avait été enlevé des murs de la salle de classe, les bancs et les pupitres avaient repris leur place. Le salon privé de Miss Minchin était comme d'habitude, les reliefs du buffet avaient disparu et Miss Minchin avait remis sa robe ordinaire. On avait demandé aux élèves de ranger leurs robes de cérémonie. Cela fait, elles étaient retournées en salle de classe où, très excitées, elles se tenaient en petits groupes, à murmurer et à parler.

— Demande à Sarah de venir dans mon salon, avait dit Miss Minchin à sa sœur. Et dis-lui clairement que je ne veux pas de larmes ni de scène déplacée.

— Tu sais, avait répondu Miss Amélie, c'est l'enfant la plus étrange que j'aie jamais vue. Elle n'a fait aucun éclat. Tu te souviens qu'elle n'en a pas fait non plus quand le capitaine Crewe est reparti pour les Indes. Quand je lui ai annoncé ce qui était arrivé, elle est restée immobile à me regarder sans faire un bruit. Juste, ses yeux semblaient devenir de plus en plus grands, et elle pâlissait. Quand j'ai eu fini, elle est restée à me fixer encore quelques secondes puis son menton s'est mis à trembler, et elle a tourné les talons, elle est sortie et a grimpé l'escalier en courant.

Plusieurs des enfants se sont mises à pleurer mais elle a semblé ne pas les entendre et ne faire attention qu'à ce que je disais. Cela m'a fait une drôle d'impression de ne pas recevoir de réponse. Et quand on leur annonce quelque chose de soudain et d'étrange, on s'attend à ce que les gens disent quelque chose, quoi que ce puisse être.

À part Sarah, personne ne sut jamais ce qu'il s'était passé dans sa chambre après qu'elle s'y fut réfugiée en fermant la porte à clef. En fait, elle-même ne se souvint presque de rien sinon du fait qu'elle fit les cent pas en répétant et répétant encore d'une voix qui semblait ne pas être la sienne :

— Mon papa est mort ! Mon papa est mort !

Une fois, elle s'arrêta devant Émilie qui la regardait, assise sur son siège, et lui cria sauvagement :

— Émilie, tu as entendu ? Tu as entendu que papa est mort ! Il est mort aux Indes à des milliers de kilomètres d'ici !

Quand elle entra dans le salon de Miss Minchin en réponse à sa convocation, son visage était blême et des cernes profonds soulignaient ses yeux. Sa bouche paraissait déterminée à refuser de révéler ce qu'elle venait de souffrir et ce qu'elle souffrait encore. Elle n'avait plus rien de l'enfant-papillon rose qui était allée de trésor en trésor dans la salle de classe décorée. Elle ressemblait plutôt à un petit personnage étrange et désolé, presque grotesque.

Sans l'aide de Mariette, elle avait revêtu la robe noire qu'elle ne portait plus depuis longtemps. Elle était serrée et trop petite, ses jambes fines semblaient maigres et longues quand on les voyait dépasser de la jupe trop courte. Comme elle n'avait pas trouvé de ruban noir, ses cheveux sombres tombaient librement autour de son visage en contrastant fortement avec sa pâleur. Elle tenait Émilie serrée dans un de ses bras, la poupée était drapée dans un morceau de tissu noir.

— Posez cette poupée, dit Miss Minchin. À quoi pensez-vous, pour l'apporter ici ?

— Non, répondit Sarah, je ne la poserai pas. Elle est tout ce que j'ai. Papa me l'a donnée.

Secrètement, elle avait toujours mis Miss Minchin mal à l'aise ; ce fut le cas une fois encore. Elle ne s'exprimait pas de façon malpolie mais avec une sorte de froide détermination que Miss Minchin avait du mal à supporter, peut-être parce qu'elle savait qu'elle faisait quelque chose d'inhumain et de cruel.

— Vous n'aurez plus de temps pour les poupées dorénavant, dit-elle. Vous devrez travailler, faire des progrès et vous rendre utile.

Sarah garda ses gros yeux étranges fixés sur elle et ne pipa mot.

— Tout va être différent désormais, poursuivit Miss Minchin. Je suppose que Miss Amélie vous a exposé la situation.

— Oui, répondit Sarah. Mon papa est mort. Il ne m'a pas laissé d'argent. Je suis très pauvre.

— Vous êtes une mendiante ! dit Miss Minchin dont la colère remontait à mesure qu'elle se souvenait de ce que cela signifiait pour elle. Il se trouve que vous n'avez pas de parents, pas de foyer, personne qui puisse prendre soin de vous.

Un court moment, le petit visage blême se crispa mais, une fois encore, Sarah ne dit rien.

— Qu'avez-vous à me dévisager de la sorte ? demanda Miss Minchin vivement. Êtes-vous stupide ou n'avez-vous pas compris ? Je vous dis que vous êtes absolument seule au monde sans personne qui puisse faire quelque chose pour vous sauf si je décide de vous garder ici, par charité.

— Je comprends, dit Sarah doucement.

Il y eut un bruit, comme si elle avait avalé quelque chose qui refusait de descendre dans sa gorge.

— Je comprends.

— Cette poupée, cria Miss Minchin en pointant le doigt vers les splendides cadeaux posés près d'elle sur un fauteuil, cette poupée absurde avec toutes ces choses extravagantes et déraisonnables, j'ai payé tout ça !

Sara tourna la tête vers le fauteuil.

— Dernière Poupée, dit-elle. La dernière poupée.

Sa petite voix triste avait une étrange résonance.

— La dernière poupée, effectivement, dit Miss Minchin. Mais elle est à moi, pas à vous. Tout ce que vous possédez m'appartient.

— Alors prenez-la, s'il vous plaît, dit Sarah. Je n'en veux pas.

Si elle avait pleuré, sangloté ou paru effrayée, Miss Minchin aurait peut-être manifesté plus de patience envers elle. C'était une femme qui aimait dominer les autres et exercer son autorité ; en voyant la fermeté peinte sur le petit visage blanc de Sarah, en l'entendant parler d'une voix fière, elle eut la sensation que son pouvoir était réduit à rien.

— Ne prenez pas vos grands airs avec moi, dit-elle. Le temps pour cela est passé. Vous n'êtes plus une princesse. Votre voiture et votre poney seront vendus, votre bonne congédiée. Vous porterez vos vêtements les plus simples et les plus vieux ; les autres ne sont plus adaptés à votre situation nouvelle. Vous êtes comme Becky : vous devez travailler pour gagner votre vie.

À sa grande surprise, une petite lueur vint éclairer le regard de l'enfant, une lueur de soulagement.

— Je peux travailler ? demanda-t-elle. Si je puis travailler, cela sera moins difficile. Que puis-je faire ?

— Vous ferez tout ce qu'on vous dira de faire, fut la réponse. Vous êtes une enfant intelligente et vous comprenez vite. Si vous vous rendez utile, je vous laisserai peut-être rester. Vous parlez bien français et vous pouvez aider auprès des fillettes les plus petites.

— Vraiment ? s'écria Sarah. Oh ! s'il vous plaît, je sais que je peux m'en occuper. Je les aime et elles m'aiment !

— Ne dites pas de bêtises à propos de gens qui vous aiment, dit Miss Minchin. Vous n'aurez pas seulement à faire cours aux petites. Vous irez aux courses et vous aiderez à la cuisine et en classe. Si vous ne donnez pas satisfaction, vous serez renvoyée. Souvenez-vous-en. Et maintenant, allez !

Sarah demeura immobile un court moment. Dans son jeune esprit, elle agitait des pensées profondes et étranges. Puis elle fit demi-tour pour quitter la pièce.

— Arrêtez ! dit Miss Minchin. Vous n'avez pas l'intention de me dire merci ?

Sarah s'arrêta et toutes ses pensées profondes et étranges s'imposèrent à elle.

— Pourquoi donc ? demanda-t-elle.

— Pour ma gentillesse envers vous, répliqua Miss Minchin. La gentillesse de vous offrir un foyer.

Sarah fit deux ou trois pas vers elle. Son petit menton tremblait, s'agitant de bas en haut. Elle parla sur un ton féroce et très peu enfantin.

— Vous n'êtes pas gentille, dit-elle. Et ici, ce n'est pas un foyer.

Elle avait fait demi-tour et avait quitté la pièce en courant avant que Miss Minchin ait pu faire autre chose que rester à fixer la porte, en proie à une colère terrible.

Sarah monta l'escalier doucement mais en haletant, manquant de souffle. Elle serrait très fort Émilie contre elle.

« J'aimerais qu'elle parle ! se disait-elle. Comme j'aimerais qu'elle parle ! »

Elle voulait gagner sa chambre pour s'allonger sur la peau de tigre, la joue sur la grosse tête de chat, et regarder le feu et penser, penser, penser... Mais comme elle arrivait sur le palier, elle vit Miss Amélie sortir de son appartement, fermer la porte à clef et se tenir devant, l'air nerveux et maladroit. Le fait est qu'en secret, elle se sentait un peu honteuse de ce qu'on lui avait ordonné de faire.

— Vous... vous ne pouvez plus entrer là, dit-elle.

— Je ne peux pas ? s'écria Sarah en faisant un pas en arrière.

— Ce n'est plus votre chambre maintenant, répondit Miss Amélie en rougissant un peu.

Sarah comprit tout de suite. Elle sut que c'était le début des changements dont Miss Minchin venait de lui parler.

— Où se trouve ma chambre à présent ? demanda-t-elle en espérant très fort que sa voix ne tremblait pas.

— Vous dormirez au grenier, près de Becky.

Sarah savait où c'était. Becky lui en avait parlé. Elle se retourna, monta deux volées de marches. La dernière était étroite, couverte de débris de vieux tapis. Il lui sembla qu'elle s'en allait en laissant loin derrière elle le monde où l'autre petite fille, qui n'était déjà plus elle, avait vécu. L'enfant qui grimpait l'escalier du grenier dans sa robe serrée et trop courte était une personne différente.

Elle atteignit la porte du grenier et l'ouvrit. Son cœur battit un peu plus fort. Elle referma la porte et se tint là, appuyée contre le battant, à regarder autour d'elle.

Oui, c'était un autre monde. Le plafond de la pièce était en pente et les murs blanchis à la chaux. L'enduit était écaillé et était tombé par endroits. Il y avait un foyer rouillé, un vieux lit dur avec des montants en fer et un vieux couvre-lit fané. Quelques meubles trop usés pour servir encore en bas avaient été remisés là. Sous la lucarne percée dans le plafond qui ne laissait rien voir d'autre qu'un rectangle de ciel gris et triste, se tenait un vieux repose-pieds rouge élimé. Sarah alla s'y asseoir. Elle pleurait rarement. Elle ne pleura pas là non plus. Elle posa Émilie sur ses genoux, posa son visage contre la poupée, l'entoura de ses bras et resta là assise, sa petite tête noire posée sur l'étoffe noire, sans dire un mot, sans faire un bruit.

Comme elle était assise en silence, il y eut un toc-toc à la porte, si léger, si humble, qu'elle ne l'entendit pas. On ne frappa pas plus fort mais on poussa la porte doucement, timidement jusqu'à ce qu'apparaisse un visage maigre inondé de larmes qui regarda à l'intérieur. C'était Becky, Becky qui, des heures durant, avait pleuré furtivement en s'essuyant les yeux avec son tablier de cuisine jusqu'à ce qu'elle finisse par avoir un air véritablement étrange.

— Oh ! mamoiselle, dit-elle dans un souffle, je voudrais que vous me permettez juste d'entrer.

Sarah leva la tête pour la regarder. Elle essaya de sourire et n'y parvint pas. Soudain, à cause de la tristesse qui se lisait dans les yeux éplorés de Becky, son visage redevint celui d'une fillette pas trop vieille pour son âge. Elle tendit la main et eut un petit sanglot.

— Oh ! Becky, dit-elle, je t'ai dit que nous étions semblables, juste deux petites filles, seulement deux petites filles. Tu vois comme c'est vrai. Il n'y a plus aucune différence. Je ne suis plus une princesse.

Becky courut prendre sa main, la posa sur sa poitrine et s'agenouilla près de Sarah en sanglotant d'affection et de tristesse.

— Si ! mamoiselle, vous l'êtes toujours ! cria-t-elle en hachant les mots à cause de l'émotion. N'importe quoi qui vous arriverait, vous resterez quand même une princesse malgré tout et jamais rien pourra vous faire devenir quelque chose d'autre !

8

Dans le grenier

La première nuit qu'elle passa dans le grenier, Sarah ne l'oublia jamais. Tout le temps qu'elle dura, elle vécut un chagrin sauvage qui n'avait rien d'enfantin et dont elle ne parla pas autour d'elle. Personne n'aurait compris. Indiscutablement, ce fut une bonne chose pour elle, alors qu'elle restait assise dans les ténèbres, que son esprit soit distrait de temps à autre par l'étrangeté des lieux. Ce fut sans doute une bonne chose que son petit corps la fasse penser à des choses matérielles. Si tel n'avait pas été le cas, l'angoisse qu'éprouvait son esprit aurait pu s'avérer insupportable pour une enfant aussi jeune. Mais, tandis que la nuit passait, elle eut à peine conscience qu'elle possédait un corps et se rappela seulement une chose :

— Mon papa est mort, ne cessa-t-elle de se murmurer à elle-même. Mon papa est mort.

Elle se rendit compte seulement plus tard que le lit était dur, ce qui la forçait à se tourner et se retourner pour trouver un endroit où se reposer, que les ténèbres autour d'elle étaient plus noires que toutes celles qu'elle avait connues jusqu'alors, que le bruit du vent soufflant sur le toit autour des cheminées semblait une plainte puissante et désolée. Et puis il y avait pire. Des grattements, des grignotis, des couinements dans les murs et derrière les plinthes. Elle sut ce que cela signifiait car Becky les lui avait décrits. Cela signifiait des rats et des souris qui se battaient ou qui jouaient. Une fois ou deux, elle entendit même des petits bruits de pattes griffues trottant sur le plancher et, les jours suivants, quand elle y repensa, elle se rappela qu'elle avait sursauté dans son lit quand elle les avait entendus puis qu'elle était restée assise un moment dans le lit, toute tremblante, et que quand elle s'était allongée de nouveau, elle s'était couvert la tête avec le drap.

Pour elle, le changement de vie ne fut pas progressif mais se produisit d'un seul coup.

— Autant qu'elle commence par là puisqu'elle finira par en arriver là, dit Miss Minchin à Miss Amélie. Autant lui faire comprendre tout de suite ce à quoi elle doit s'attendre.

Mariette avait quitté la pension le lendemain matin. En passant devant la porte de son salon, Sarah vit que tout y avait été changé. On avait ôté tous ses meubles et toute sa décoration ; un lit placé dans un coin indiquait qu'on en avait fait une chambre pour une nouvelle pensionnaire.

Quand elle descendit pour le petit déjeuner, elle vit que sa place, à droite de Miss Minchin, était occupée par Lavinia.

Miss Minchin lui parla froidement :

— Vous commencerez dans vos nouvelles fonctions en prenant un siège à la table des petites. Vous veillerez à ce qu'elles restent tranquilles, à ce qu'elles se tiennent bien et ne gaspillent pas la nourriture. Vous auriez dû descendre plus tôt : Lottie a déjà renversé son thé !

Ce fut le début mais, de jour en jour, les tâches qu'on lui assigna s'accumulèrent. Elle enseigna le français aux élèves les plus jeunes et leur fit réciter les leçons, ce qui était le moins pénible de tout ce qu'elle avait à faire. Car on trouva à l'employer dans tous les sens. On l'expédiait faire des courses à n'importe quelle heure et par n'importe quel temps. On lui demandait de rattraper ce que les autres avaient négligé. La cuisinière et les femmes de chambre se mirent vite à l'unisson de Miss Minchin, enchantées qu'elles étaient de donner des ordres à cette « petite » dont on avait fait si grand cas naguère. Ce n'était pas des domestiques d'élite ; elles n'avaient pas bon caractère ni de bonnes manières. Elles appréciaient le fait d'avoir sous la main quelqu'un sur qui elles pouvaient faire retomber tous les torts.

Au cours des deux premiers mois, Sarah pensa qu'en faisant de son mieux ce qu'on exigeait d'elle, qu'en se taisant si on lui adressait des reproches, elle parviendrait à adoucir celles qui la menaient si durement. Dans son petit cœur fier, elle voulait leur faire voir qu'elle essayait de gagner sa vie et qu'elle ne recevait pas la charité. Mais le temps vint où elle comprit que personne ne s'adoucissait et que plus elle mettait de bonne volonté à faire ce qu'on lui ordonnait, plus les domestiques devenaient exigeantes, dominatrices et sans pitié, plus la cuisinière se montrait hargneuse.

Si elle avait été plus âgée, Miss Minchin lui aurait confié une classe de grandes élèves et aurait économisé de l'argent en renvoyant une maîtresse. Mais tant qu'elle aurait l'allure d'une fillette, Sarah ne pourrait être utilisée que comme fille de course d'élite et bonne à tout faire. Pour les courses, une gamine ordinaire n'aurait pas été aussi habile ni aussi sûre. On pouvait se fier à elle pour les commissions difficiles ou les messages compliqués. On pouvait même l'envoyer régler les factures et elle combinait cette aptitude à une habileté certaine pour prendre les poussières ou ranger une chambre.

Sa propre instruction appartint dès lors au passé. On ne lui enseignait rien. C'était au terme de journées longues et pénibles passées à courir aux ordres de tout le monde qu'elle avait l'autorisation, donnée du bout des lèvres, de se rendre dans la salle de classe déserte et d'étudier, de nuit, seule avec une pile de vieux livres. « Si je ne me remémore pas ce que j'ai appris, se disait-elle, je vais peut-être l'oublier ! Je suis une fille de cuisine à présent et si je deviens une fille de cuisine qui ne sait rien, je serai comme cette malheureuse Becky. Je me demande si je risque de commencer à tout oublier, à ne plus aspirer les *h* et à ne pas me rappeler que Guillaume le Conquérant a envahi l'Angleterre. »

Un des faits les plus étonnants de sa nouvelle existence était son changement de statut auprès des pensionnaires. Alors qu'elle avait été une sorte de petit personnage royal parmi elles, elle ne semblait même plus être comptée dans leur nombre.

On la tenait si assidûment au travail qu'elle n'avait presque jamais l'occasion de leur parler, outre qu'elle ne pouvait pas ne pas voir que Miss Minchin préférait qu'elle se tienne à l'écart des élèves.

— Je ne veux plus qu'elle soit intime avec les autres enfants ni qu'elle leur parle, avait dit cette dame. Les jeunes filles raffolent d'histoires tristes ; si elle commence à leur raconter des romances sur son propre compte, elle deviendra une héroïne mal aimée et les parents en recevront des échos négatifs. Mieux vaut qu'elle vive, à l'écart, une vie conforme à la situation. Je lui offre un foyer et c'est plus que ce qu'elle est en droit d'attendre de moi.

Sarah n'attendait pas grand-chose. Elle était bien trop fière pour demeurer intime avec des filles qui, à l'évidence, se sentaient mal à l'aise avec elle. Le fait est que les ouailles de Miss Minchin constituaient un ensemble de jeunes personnes assez communes et terre à terre. Elles avaient l'habitude d'être riches, de vivre dans le confort. Quand la robe noire de Sarah devint encore plus courte, plus élimée, plus grotesque, quand il devint un fait établi que ses chaussures avaient des trous, qu'on l'envoyait acheter des produits à l'épicerie et qu'elle les rapportait dans un grand panier passé sous le bras, lorsque la cuisinière en avait besoin d'urgence, elles se mirent à s'adresser à elle comme à une servante de catégorie inférieure.

— Dire qu'elle était la fille aux mines de diamants ! commentait Lavinia. Elle ressemble à un objet. Et elle est plus bizarre que jamais. Je ne l'ai jamais aimée mais je ne supporte pas la façon qu'elle a de regarder les gens sans rien dire comme si elle essayait de les percer à jour !

— C'est ce que je fais, répondit Sarah quand on lui rapporta ce propos. C'est pour cela que je regarde les gens. J'aime tout savoir d'eux. J'y repense ensuite !

La vérité c'est qu'elle s'était évité des ennuis plus d'une fois déjà en gardant l'œil sur Lavinia, qui était toujours prête à faire du mal et aurait été plutôt ravie de pouvoir en faire à l'ex-élève vedette.

Sarah, elle-même, ne fit jamais rien de méchant et ne se mêla des affaires de personne. Elle travaillait sans répit, courait par les rues mouillées en trimbalant colis et paquets, se colletait avec le manque d'attention des petites pendant les leçons de français. Comme elle devenait de plus en plus loqueteuse et triste à regarder, elle fut priée de prendre ses repas en bas, à l'office ; elle fut traitée comme si personne ne se souciait d'elle, ce qui la rendit à la fois plus fière et plus triste, mais elle ne fit part de ses sentiments à personne.

— Les soldats ne se plaignent pas ! avait-elle coutume de se répéter entre les dents. Je le ferai. Je ferai comme si c'était la guerre.

Mais il y avait des moments où son cœur d'enfant aurait pu se briser si trois personnes n'avaient pas été là.

La première, il faut le dire, était Becky, juste Becky. Tout au long de cette première nuit que Sarah avait passée dans la mansarde, savoir que, de l'autre côté de ce mur où on entendait grignoter et couiner, il y avait un autre être humain, jeune, cela l'avait vaguement réconfortée. La nuit qui suivit, cette impression de réconfort s'accrut. Elles avaient peu d'occasions de se parler le jour durant. Chacune avait sa tâche à accomplir et tout essai de se parler aurait été considéré comme une tentative pour paresser et perdre du temps.

— M'en voulez pas, mamoiselle, murmura Becky le premier matin, si je ne dis rien de poli. Quelqu'un nous tomberait dessus si je le faisais. Je veux dire si je disais « merci », « s'il vous plaît » ou « pardon », au prétexte que ça fait perdre mon temps !

Mais avant le point du jour, elle avait l'habitude de se glisser dans le grenier de Sarah pour boutonner sa robe et l'aider comme elle le pouvait avant de descendre allumer le feu à la cuisine. Et, le soir venu, Sarah entendait le toc-toc discret à la porte qui signifiait que son habilleuse était disposée à l'aider si elle le souhaitait. Durant les premières semaines de son deuil, Sarah eut l'impression qu'elle était trop abasourdie pour parler, si bien qu'il se passa un peu de temps avant qu'elles commencent à se voir plus longtemps et à se rendre visite. Le cœur de Becky lui disait qu'il vaut mieux laisser seuls les gens qui ont de la peine.

La deuxième consolatrice fut Ermengarde mais il fallut qu'un fait curieux survienne pour qu'elle trouve sa place.

Quand l'esprit de Sarah s'éveilla de nouveau à la vie qui l'entourait, elle remarqua qu'elle avait oublié qu'il existait une Ermengarde en ce bas monde. Elles avaient toujours été amies mais Sarah s'était toujours sentie plus âgée de plusieurs années. Indéniablement, Ermengarde était aussi terne qu'elle était affectueuse. Elle se cramponnait à Sarah d'une façon toute simple et assez désespérée. Elle lui apportait ses leçons pour qu'elle l'aide ; elle buvait ses paroles et réclamait sans cesse des histoires. Mais, elle-même n'avait rien d'intéressant à raconter et elle fuyait tous les livres, sans distinction. En fait, elle n'était pas le genre de personne dont on se souvient quand on passe un moment très difficile et Sarah l'avait oubliée.

Sarah l'avait oubliée d'autant mieux qu'Ermengarde était partie passer quelques semaines chez elle. Quand elle revint, elle ne vit pas Sarah d'un jour ou deux jusqu'au moment où elle la croisa dans un couloir, les bras chargés de vêtements qu'elle portait au sous-sol pour les repriser. On lui avait déjà appris comment faire les reprises. Sarah était pâle et semblait différente de d'habitude, elle portait la robe noire trop petite qui mettait à découvert de trop longues jambes maigres dans leurs bas noirs.

Ermengarde n'était pas assez vive pour bien se tirer d'une telle situation. Elle ne trouva rien à dire. Elle savait ce qu'il s'était passé mais elle n'avait pas imaginé que Sarah pourrait ressembler à une pauvresse, presque à une servante. Cela la rendit tout à fait malheureuse mais elle ne put rien faire d'autre que d'éclater d'un rire hystérique et de s'exclamer, sans que cela veuille rien dire :

— Oh ! Sarah, c'est bien toi ?

— Oui, répondit Sarah.

Et soudain, une étrange pensée lui passa par la tête et la fit rougir. Elle tenait les vêtements dans les bras, le menton posé sur celui du dessus pour garder la pile en équilibre. Quelque chose dans son regard fixe fit perdre encore plus ses moyens à Ermengarde. Il lui sembla que Sarah s'était changée en une fille nouvelle et qu'elle ne l'avait jamais connue auparavant. Peut-être parce qu'elle était devenue pauvre subitement et parce qu'elle devait repriser les vieux vêtements et travailler, comme Becky.

— Oh ! balbutia-t-elle. Comment vas-tu ?

— Je ne sais pas trop. Et toi, comment vas-tu ?

— Je vais très bien, répondit Ermengarde submergée par sa timidité.

Désespérément elle chercha quelque chose à dire d'un peu plus intime.

— Es-tu... Es-tu très malheureuse ? dit-elle précipitamment.

Alors, Sarah se rendit coupable d'une injustice. À ce moment précis son cœur brisé se gonfla dans sa poitrine ; elle songea que, si quelqu'un se révélait stupide à ce point, il valait mieux s'en tenir éloigné.

— À ton avis, dit-elle, penses-tu que je nage dans le bonheur ?

Et elle s'éloigna sans rien ajouter.

Avec le temps, elle comprit que, si son malheur ne lui avait pas fait oublier les choses, elle aurait su que la malheureuse Ermengarde n'était pas à blâmer de s'être montrée seulement très maladroite. Elle l'était tout le temps et plus elle était émue, plus elle se comportait de façon stupide.

En fait, l'idée qui était venue à l'esprit de Sarah l'avait mise à vif. « Elle est comme les autres. » Voilà ce qu'elle avait pensé. « Elle ne veut pas réellement me parler. Elle sait que personne ne me parle. »

De la sorte, pendant plusieurs semaines, une barrière resta dressée entre elles. Quand, par hasard, elles se croisaient, Sarah regardait ailleurs et Ermengarde se sentait trop gauche et trop embarrassée pour parler.

« Si elle préfère ne pas me parler, pensait Sarah, je me tiendrai hors de son chemin. Miss Minchin rend cela assez facile à faire. »

En réalité, Miss Minchin faisait en sorte qu'elles ne se voient pour ainsi dire jamais. À ce moment-là, tout le monde remarqua qu'Ermengarde était plus stupide que jamais et qu'elle semblait agitée et malheureuse. Elle s'asseyait dans un fauteuil près de la fenêtre, se repliait sur elle-même, et regardait fixement dehors sans rien dire. Une fois, Jessie, qui passait par là, s'arrêta pour la regarder avec curiosité.

— Pourquoi pleures-tu, Ermengarde ? demanda-t-elle.

— Je ne pleure pas, répondit Ermengarde d'une voix étouffée et un peu tremblante.

— Si ! tu pleures, dit Jessie. Une grosse larme vient de couler le long de ton nez et maintenant elle pend au bout, prête à tomber. Et en voici une autre !

— Eh bien ! je suis malheureuse et cela ne

regarde personne dit Ermengarde en tournant vers Jessie son dos dodu.

Elle tira son mouchoir et s'y enfouit le visage.

Ce soir-là, quand Sarah regagna sa mansarde, il était plus tard que d'habitude. Elle était restée à travailler jusqu'à l'heure où les pensionnaires allaient au lit. Après quoi, elle avait étudié dans la salle de classe déserte. Quand elle arriva en haut de l'escalier, elle eut la surprise d'apercevoir un rai de lumière sous la porte du grenier.

« À part moi, personne ne va jamais là, se dit-elle. Pourtant quelqu'un a allumé une chandelle. »

Quelqu'un, effectivement, avait allumé une chandelle et cette dernière ne brûlait pas dans un des bougeoirs de la cuisine que Sarah était censée utiliser mais dans un des chandeliers des chambres des pensionnaires. Ce quelqu'un était assis sur le repose-pieds élimé, vêtu de sa chemise de nuit, avec un châle rouge par-dessus. C'était Ermengarde.

— Ermengarde ! s'écria Sarah.

Elle était tellement surprise qu'elle en était presque effrayée.

— Tu auras des ennuis !

Ermengarde se leva de son siège. Elle traversa le grenier dans ses chaussons de nuit qui étaient trop grands pour elle. Son nez et ses yeux étaient roses à force d'avoir pleuré.

— Je sais que j'en aurai si on me trouve ici, dit-elle. Mais cela m'est égal ! Tout à fait égal ! Oh ! Sarah, dis-moi. Que se passe-t-il ? Pourquoi tu ne m'aimes plus ?

Quelque chose dans sa voix fit que la gorge de Sarah se serra. C'était si affectueux et si simple, tellement ressemblant à l'Ermengarde d'autrefois quand elle avait proposé d'être amies intimes. Sarah comprit que son comportement, au cours des semaines passées, était involontaire.

— Je t'aime toujours bien, dit Sarah. Je croyais... vois-tu, tout est différent à présent. Je croyais que tu étais devenue différente.

Ermengarde écarquilla ses yeux mouillés de larmes.

— Mais, c'est toi qui étais différente ! s'écria Ermengarde. Tu ne voulais pas me parler. Je ne savais pas quoi faire. C'est toi qui étais différente après mon retour !

Sarah réfléchit un moment. Elle comprit qu'elle avait commis une erreur.

— Je suis différente, dit-elle, mais pas de la façon que tu crois. Miss Minchin ne veut pas que je parle aux filles. La plupart d'entre elles refusent de me parler. J'ai essayé de me tenir à l'écart de toi.

— Oh ! Sarah ! gémit Ermengarde qui paraissait consternée.

Et, après un nouveau regard qu'elles échangèrent, elles se précipitèrent dans les bras l'une de l'autre. La tête brune de Sarah s'attarda un moment sur l'épaule que couvrait le châle rouge. Quand Ermengarde avait semblé l'abandonner, elle s'était sentie terriblement esseulée.

Après quoi, elles s'assirent toutes les deux par terre, Sarah se prit les genoux dans les mains, Ermengarde s'emmitoufla dans son châle. Elle contemplait le visage aux grands yeux de son amie avec adoration.

— Je ne pouvais plus le supporter, dit-elle, que tu puisses vivre sans moi. Et surtout, je ne pouvais plus supporter de vivre sans toi. Si bien que ce soir, alors que je pleurais cachée sous mes couvertures, j'ai eu l'idée de grimper ici en cachette pour te demander que nous soyons amies de nouveau.

— Tu es meilleure que moi, dit Sarah. J'étais trop fière pour essayer de garder mes amies. Tu vois, maintenant que les épreuves sont arrivées, elles montrent que je ne suis pas une bonne petite fille. J'avais peur que cela se produise. Et c'est peut-être pour ça, ajouta-t-elle gravement en fronçant le front, qu'elles m'ont été envoyées.

— Je trouve qu'elles n'ont rien de bon, dit Ermengarde.

— Moi non plus, pour parler franchement, admit Sarah. Mais j'imagine qu'il peut y avoir du bon dans toute chose même si nous ne le voyons pas. Qui sait, il y a peut-être du bon même chez Miss Minchin !... Mais j'en doute un peu !

Ermengarde regardait la mansarde autour d'elle, en proie à une vive curiosité.

— Sarah, finit-elle par dire, tu crois que tu peux supporter de vivre ici ?

Sarah regarda à son tour.

— Si je fais semblant de croire que c'est différent, je peux. Ou si je prétends que cet endroit a une histoire !

Elle parlait lentement. Son imagination commençait à travailler pour elle. Elle n'avait plus fonctionné depuis que ses ennuis lui étaient tombés dessus. Elle était demeurée comme engourdie.

— D'autres gens ont vécu dans des endroits pires. Pense au comte de Monte-Cristo dans les cachots du château d'If. Pense aux prisonniers de la Bastille !

— La Bastille, murmura Ermengarde qui la regardait et tombait sous le charme. Elle se rappelait les histoires de la Révolution française que Sarah avait été capable de fixer dans sa mémoire grâce aux récits dramatiques qu'elle lui en avait fait. Sarah seule en était capable.

Un éclat bien connu apparut dans le regard de Sarah.

— Oui, dit-elle en serrant ses genoux, ce sera

un excellent endroit où faire semblant. Je suis un prisonnier de la Bastille. Je suis ici depuis des années et des années et des années ; tout le monde m'a oubliée. Miss Minchin est la geôlière et Becky – une lueur plus vive vint illuminer son regard – Becky est la prisonnière de la cellule voisine.

Elle se tourna vers Ermengarde. Elle ressemblait à la Sarah d'avant.

— Je ferai semblant de croire ça, dit-elle. Cela me sera d'un grand réconfort !

Ermengarde était tout à la fois fascinée et inquiète.

— Tu me le raconteras ? demanda-t-elle. Puis-je monter ici sans bruit, le soir, chaque fois que c'est sans danger, et écouter ce que tu auras inventé pendant la journée ? J'aurais l'impression que nous sommes plus « meilleures amies » que jamais !

— Oui, répondit Sarah, l'adversité met les gens à l'épreuve. Celle qui me frappe t'a testée et elle a démontré à quel point tu es bonne !

9

Melchisédech

Le troisième membre du trio fut Lottie. Elle était toute petite et ne savait pas vraiment ce qu'est l'adversité mais elle fut bouleversée par le changement qu'elle perçut chez sa jeune mère adoptée. Elle avait entendu dire que des choses étranges étaient advenues à Sarah mais elle ne comprit pas pourquoi elle était désormais si différente d'aspect, pourquoi elle portait cette robe noire, pourquoi elle venait en classe seulement pour faire travailler les petites au lieu de s'asseoir à sa place d'honneur habituelle et d'étudier, elle aussi. On avait beaucoup papoté chez les plus jeunes pensionnaires quand on avait découvert que Sarah n'habitait plus l'appartement où Émilie avait si longtemps trôné. La difficulté majeure de Lottie résidait dans le fait que Sarah parlait très peu quand on la questionnait. À sept ans, il faut qu'on vous explique bien les mystères si on veut qu'ils soient compris.

— Tu es très pauvre, Sarah ? avait-elle demandé confidentiellement le premier matin où son amie avait pris en charge la classe de français des petites. Es-tu aussi pauvre qu'une mendiante ?

Elle avait posé sa petite main grassouillette dans celle de Sarah et ouvrait tout rond ses yeux pleins de larmes.

— Je veux pas que tu sois aussi pauvre qu'une mendiante !

Elle semblait sur le point de fondre en larmes. Sarah s'empressa de la consoler.

— Les mendiants n'ont pas d'endroit où habiter, dit-elle courageusement. Moi, si.

— Où habites-tu ? insista Lottie. Une nouvelle a pris ta chambre et là, ce n'est plus joli du tout !

— J'habite une autre chambre, dit Sarah.

— Elle est jolie ? demanda Lottie. Je veux aller la voir !

— Il ne faut pas parler, dit Sarah. Miss Minchin nous regarde. Elle sera fâchée que je te laisse parler.

Sarah avait déjà remarqué qu'on allait la rendre responsable de tout ce qui irait mal. Si les enfants n'étaient pas attentives, si elles bavardaient, si elles s'agitaient, c'était à elle qu'iraient tous les reproches.

Mais Lottie était une petite personne déterminée. Si Sarah ne voulait pas lui dire où elle était logée, elle le découvrirait autrement. Elle parla avec ses petites compagnes et traîna autour des filles plus âgées pour surprendre leurs conversations. Se fondant sur des informations qu'elles avaient laissé échapper, elle entreprit, tard une certaine après-midi, une expédition de découverte et grimpa un escalier dont elle n'avait jamais soupçonné l'existence, jusqu'à atteindre le grenier. Là, elle trouva deux portes voisines. Elle ouvrit l'une et vit sa chère Sarah debout sur une table, en train de regarder par la lucarne.

— Sarah ! cria-t-elle, horrifiée. Maman Sarah !

Elle était horrifiée parce que la mansarde était si nue et si laide et semblait si loin du reste du monde. Il lui semblait que ses petites jambes avaient escaladé des centaines de marches.

Sarah se retourna au son de la voix. Ce fut à son tour d'être horrifiée. Qu'allait-il se passer maintenant ? Si Lottie se mettait à pleurer et que quelqu'un, par hasard, l'entende, elles étaient perdues toutes les deux. Elle sauta de la table et courut à l'enfant.

— Ne pleure pas et ne fais aucun bruit, implora-t-elle. Sinon je serai punie, et j'ai déjà été réprimandée tout le jour. Ce n'est pas une chambre aussi déplaisante, Lottie !

— Tu trouves ? s'étouffa Lottie.

Elle en fit le tour du regard en se mordant les lèvres. C'était une enfant gâtée mais elle aimait assez sa mère adoptée pour faire l'effort de se contrôler. Surtout que, d'une certaine façon, il était possible que n'importe quelle pièce qu'habitait Sarah puisse finir par devenir plaisante.

— Pourquoi elle n'est pas déplaisante ? dit-elle dans un murmure.

Sarah l'attira à elle et s'efforça de rire. Il y avait une espèce de réconfort qui émanait de ce petit corps dodu et si enfantin. Elle avait eu une journée difficile et les yeux lui brûlaient tandis qu'elle regardait par la lucarne.

— On aperçoit toutes sortes de choses qu'on ne peut pas voir d'en bas, dit-elle.

— Quel genre de choses ? demanda Lottie avec cette curiosité que Sarah savait toujours éveiller, même chez les filles plus grandes.

— Des cheminées qui sont toutes proches, avec de la fumée qui tourbillonne et fait des ronds et des nuages et qui monte dans le ciel, des moineaux qui sautillent et bavardent entre eux comme s'ils étaient des personnes, et d'autres lucarnes où une tête peut apparaître à n'importe quel moment sans qu'on sache au juste à qui elle appartient. Et le tout est si haut que cela semble faire partie d'un autre monde.

— Oh ! laisse-moi voir ! s'écria Lottie. Soulève-moi !

Sarah la souleva. Toutes les deux, debout sur la vieille table, s'appuyèrent au rebord de la lucarne pour regarder dehors. Qui ne l'a jamais fait ne sait pas quel monde différent elles découvrirent. Les ardoises s'étalaient autour d'elles et descendaient vers la gouttière. Les moineaux étaient chez eux ; ils sautillaient et gazouillaient sans crainte. Deux d'entre eux, perchés sur la cheminée voisine, se querellaient violemment jusqu'à ce qu'un des deux donne un coup de bec à l'autre pour le chasser. La lucarne voisine de la leur était fermée car la maison voisine était vide.

— J'aimerais que quelqu'un habite là, dit Sarah. C'est si près que, s'il y avait une petite fille dans le grenier, nous pourrions nous parler par la lucarne, elle et moi, et monter nous rendre visite, à condition de ne pas avoir peur de tomber.

Le ciel semblait tellement plus proche que quand on le voyait de la rue que Lottie était enchantée. Depuis la lucarne, à travers les manchons de cheminée, ce qu'il se passait dans le monde en dessous semblait presque irréel. On ne croyait presque plus à l'existence de Miss Minchin, de Miss Amélie, de la salle de classe et le roulement des roues sur la place semblait un bruit provenant d'une autre existence.

— Oh Sarah ! s'écria Lottie en se serrant contre son amie, j'aime ce grenier ! Je l'aime vraiment. C'est mieux qu'en bas !

— Regarde ce moineau, murmura Sarah. J'aimerais avoir quelques miettes de pain à lui donner.

— J'en ai, s'écria Lottie d'une voix aiguë. J'ai acheté un petit pain avec mon penny hier et j'en ai encore un morceau.

Quand elles jetèrent les miettes, le moineau s'envola pour se poser en haut d'une cheminée voisine. Il n'avait pas l'habitude d'avoir des voisins et ces miettes inattendues l'intriguaient. Mais Lottie demeura parfaitement immobile et Sarah pépia tout doucement, presque comme si elle était un oiseau, alors il comprit que ce dont il avait eu peur était une marque d'hospitalité, après tout. Il pencha un peu la tête, et, du haut de son perchoir, regarda les miettes, les yeux brillants. Lottie pouvait à peine rester sans bouger.

— Viendra-t-il ? Viendra-t-il ? murmura-t-elle.

— D'après ses yeux, on dirait que oui, murmura Sarah en réponse. Il se demande s'il va oser. Oui, il ose ! Il vient !

Il redescendit, sautilla vers les miettes, s'arrêta à quelques centimètres. Il pencha de nouveau la tête, comme s'il se demandait s'il y avait un risque que Sarah et Lottie soient deux gros chats qui allaient lui sauter dessus. À la fin, son cœur lui souffla qu'elles étaient plus gentilles qu'elles le semblaient, il sautilla de plus en plus près, fonça sur la miette la plus grosse, la prit dans son bec à la vitesse de l'éclair et l'emporta de l'autre côté de la cheminée.

— Maintenant il sait, dit Sarah. Il reviendra pour les autres.

De fait, il revint, et même, il amena un camarade. À eux deux, ils firent un joyeux repas durant lequel ils pépièrent, et bavardèrent tout en s'interrompant de temps à autre pour pencher la tête et observer Lottie et Sarah. Lottie était tellement contente qu'elle oublia totalement sa première impression sur le grenier. En fait, quand elle fut redescendue de la table et qu'elle retourna aux choses terrestres, Sarah parvint à lui faire voir encore plusieurs beautés du grenier qu'elle n'aurait pas été capable de découvrir toute seule.

— C'est si petit et tellement au-dessus de tout le reste, dit-elle, que c'est presque un nid dans un arbre. Le plafond en pente est si amusant.

Regarde, on peut à peine se tenir debout de ce côté-ci de la pièce. Et le matin, quand le jour se lève, je peux regarder le ciel depuis mon lit par la lucarne. C'est comme un carré de lumière. Quand le soleil va se montrer, de petits nuages roses flottent dans le ciel et j'ai l'impression que je pourrais les toucher. S'il pleut, les gouttes d'eau crépitent et crépitent au point que j'ai l'impression qu'elles veulent dire quelque chose. S'il y a des étoiles, on peut s'allonger et compter celles que contient le carré de ciel qu'on voit. Réellement, j'ai une jolie petite chambre.

La main de Lottie dans la sienne, Sarah fit faire le tour de la mansarde à la petite fille en lui décrivant toutes les belles choses qu'elle s'imaginait y voir. Et Lottie les voyait aussi.

— Tu vois, disait-elle, il y aurait un épais tapis indien bleu sur le sol. Dans ce coin, un petit sofa avec des coussins et, juste au-dessus, une étagère remplie de livres ; on pourrait les attraper facilement. Il y aurait un tapis en fourrure devant le feu et des cadres au mur pour cacher l'enduit à la chaux, et des images. Il en faudrait des petites mais elles pourraient être belles. Il y aurait une jolie lampe d'un rose profond, une table au milieu avec tout ce qu'il faut pour prendre le thé, une grosse bouilloire en cuivre qui chanterait sur le feu et, bien sûr, le lit serait différent. Il serait plus mou, avec un joli couvre-lit de soie. Et bien sûr on pourrait gâter les moineaux jusqu'à ce qu'ils deviennent tellement familiers qu'ils frapperaient du bec au carreau pour demander qu'on les laisse entrer.

— Oh ! Sarah, dit Lottie, j'aimerais habiter ici !

Quand Sarah l'eut persuadée de redescendre et qu'elle lui eut montré le chemin, elle revint dans sa mansarde, se tint au milieu de la pièce et regarda autour d'elle. L'enchantement qu'elle avait imaginé pour Lottie s'était dissipé. Le lit était dur, couvert d'un couvre-lit minable. Les murs montraient leurs taches, le sol était nu et froid et le repose-pieds était le seul siège disponible. Sarah s'y laissa tomber et se prit la tête entre les mains. Le fait que Lottie était venue et qu'elle était partie la faisait se sentir encore plus seule. Peut-être comme les prisonniers qui doivent éprouver le même sentiment de désolation une fois que leurs visiteurs sont partis en les laissant seuls.

« C'est un endroit solitaire, se dit-elle. Parfois, c'est l'endroit le plus solitaire au monde. »

Elle était assise sans bouger quand un petit bruit près d'elle attira son attention. Elle leva la tête pour voir d'où il venait et, si elle avait été une enfant nerveuse, elle aurait bondi de sur le repose-pieds. Un gros rat était assis sur son arrière-train et reniflait, l'air tout à fait intéressé. Quelques-unes des miettes de Lottie étaient tombées au sol : c'est leur odeur qui l'avait fait sortir de son trou.

Il avait l'air si étrange et ressemblait tellement à un nain à moustache grise, ou à un gnome, que Sarah fut fascinée. Il la regardait de ses yeux qui brillaient, comme s'il l'interrogeait. Il semblait tout à fait indécis si bien qu'une de ses étranges idées vint à l'esprit de Sarah.

« Je peux dire que c'est dur d'être un rat, songea-t-elle. Personne ne vous aime. Les gens sursautent et s'enfuient et hurlent : "Oh ! l'horrible rat !" Je n'aimerais pas que les gens sursautent et crient : "Oh ! l'horrible Sarah !" en me voyant. Et qu'ils me tendent des pièges en faisant croire que c'est mon dîner. C'est si différent d'être un moineau. Mais, quand on l'a fait, personne n'a demandé au rat s'il voulait être un rat. Personne ne lui a demandé : "Tu ne préférerais pas être un moineau ?" »

Elle restait assise si calmement que le rat commençait à s'enhardir un peu. Il avait encore très peur d'elle mais peut-être avait-il un cœur, comme celui du moineau, qui lui disait qu'elle n'était pas une de ces créatures qui vous bondissent dessus. Il avait très faim. Il avait une femme et une grande famille dans le mur, et ils manquaient totalement de chance depuis plusieurs jours. Ses enfants pleuraient amèrement quand il les avait laissés, aussi était-il prêt à prendre de gros risques pour quelques miettes. Il reposa au sol ses pattes avant.

— Courage ! dit Sarah. Je ne suis pas un piège. Tu peux avoir les miettes. À la Bastille, les prisonniers se faisaient des amis avec les rats. Imagine que nous devenions amis !

Comment les animaux comprennent-ils les choses, je l'ignore. Mais le fait est qu'ils les comprennent. Peut-être existe-t-il un langage qui n'est pas fait de mots et que tout, dans le monde, comprend ? Peut-être y a-t-il une âme cachée en toute chose et que, sans faire le moindre bruit, elle peut parler à une autre âme. Mais, quelle qu'en soit la raison, le rat sut qu'il était en sécurité, tout rat qu'il était. Il sut que le jeune être humain assis sur le repose-pieds rouge ne sauterait pas en criant pour l'effrayer, qu'il ne lui lancerait pas non plus des objets qui, s'ils ne l'écrasaient pas, le renverraient boiteux dans son trou dans le mur. C'était un rat très gentil dépourvu de mauvaises intentions. Le temps qu'il avait observé Sarah, il avait espéré qu'elle comprendrait et qu'elle ne le détesterait pas. Quand cette voix mystérieuse qu'on n'entend pas lui eut dit qu'elle n'était pas son ennemie, il s'approcha tout doucement des miettes et se mit à les manger. Ce faisant, il jeta un coup d'œil à Sarah de temps à autre, comme les moineaux l'avaient fait, et il avait tellement l'air de s'en excuser qu'elle fut touchée.

Elle resta assise et l'observa sans bouger. Il y avait une miette plus grosse que les autres, tellement plus grosse, en fait, qu'on pouvait difficilement l'appeler une miette. Il était évident que le rat voulait beaucoup ce morceau mais il se trouvait près du repose-pieds et le rat était encore timide.

« Il le veut, sans doute pour l'apporter à sa famille dans le mur, pensa Sarah. Si je reste immobile, il viendra peut-être le prendre. »

C'est à peine si elle se permettait de respirer tant elle était intéressée. Le rat vint un peu plus près et mangea d'autres miettes. Il s'arrêta et renifla en regardant l'occupante du repose-pieds. Puis il s'élança sur le morceau de petit pain avec un peu la même audace soudaine que le moineau. Dès qu'il l'eut saisi, il courut au mur, se glissa dans une fente de la plinthe et disparut.

« Je savais qu'il le voulait pour sa famille, se dit Sarah. Je crois que je vais pouvoir devenir amie avec lui. »

Environ une semaine plus tard, un soir qu'Ermengarde avait jugé qu'elle pouvait grimper au grenier sans prendre de risque, quand elle tapa à la porte du bout des doigts, Sarah mit deux ou trois minutes à venir lui ouvrir. Il y avait un tel silence à l'intérieur qu'Ermengarde se demanda si, par hasard, Sarah n'était pas endormie. Puis, à sa grande surprise, elle l'entendit émettre un petit rire bas et parler à quelqu'un d'une voix cajoleuse.

— Tiens, entendit Ermengarde. Prends ça et rentre chez toi, Melchisédech. Retourne vite voir ta femme !

Presque aussitôt après, Sarah ouvrit la porte et trouva Ermengarde, l'air très inquiet, sur le palier.

— À qui parlais-tu, Sarah ? demanda-t-elle en haletant.

Sarah la fit entrer avec précaution. Il semblait que quelque chose lui faisait plaisir et l'amusait.

— Tu dois me promettre que tu n'auras pas peur et que tu ne crieras pas, dit-elle, sinon je ne pourrai pas te répondre.

Ermengarde eut presque envie de crier tout de suite mais elle parvint à se contrôler. Elle regarda autour d'elle et ne vit personne dans la mansarde. Pourtant Sarah venait de parler à quelqu'un. Elle pensa à des fantômes.

— C'est quelque chose qui me fera peur ? demanda-t-elle timidement.

— Certaines gens en ont peur, dit Sarah. C'était un peu mon cas au début mais plus maintenant.

— C'était un fantôme ?

— Non, dit Sarah en riant. C'était mon rat !

Ermengarde fit un bond et atterrit au milieu du petit lit déglingué. Elle tira ses pieds sous sa chemise de nuit et son châle. Elle ne cria pas mais respira bruyamment, de peur.

— Oh ! Oh ! dit-elle à voix basse. Un rat ! Un rat !

— J'avais peur que tu aies peur, dit Sarah. Mais il ne faut pas. Je l'apprivoise. Il me connaît bien et vient me voir quand je l'appelle. As-tu trop peur pour le voir ?

En vérité, à mesure que les jours avaient passé et grâce à des miettes rapportées de la cuisine, cette étrange amitié s'était développée et elle avait oublié que la créature timide avec laquelle elle devenait familière était juste un rat.

D'abord, Ermengarde fut trop effrayée pour pouvoir faire autre chose que rester recroquevillée sur elle-même au milieu du lit, mais le calme de Sarah et le récit de sa première rencontre avec Melchisédech finirent par éveiller sa curiosité. Elle se pencha par-dessus le bord du lit et regarda Sarah s'agenouiller près du trou dans la plinthe.

— Il ne va pas sortir à toute allure et sauter sur le lit, n'est-ce pas ? demanda-t-elle.

— Non, répondit Sarah. Il est poli. Il se comporte comme une personne. Maintenant, regarde !

Elle émit un petit sifflement si léger et si gentil qu'on pouvait l'entendre seulement dans un silence absolu. Elle siffla plusieurs fois. Elle paraissait très concentrée. Ermengarde songea qu'elle semblait en train de pratiquer un sortilège. Finalement, en réponse à cet appel, une tête avec une moustache grise et des yeux brillants sortit du trou. Sarah avait quelques miettes dans la main. Elle les fit tomber. Melchisédech s'avança tranquillement et les mangea. Puis il emporta un morceau plus gros que les autres chez lui, de façon très professionnelle.

— Tu vois, dit Sarah, c'est pour sa femme et ses enfants. Il est très gentil. Il mange seulement les petits morceaux. Quand il repart, je peux toujours entendre sa famille qui couine de joie à son retour. Il y a trois sortes de couinements. Un couinement qui est celui des enfants, celui de Mme Melchisédech et le sien propre.

Ermengarde se mit à rire.

— Ho, Sarah ! tu es bizarre mais tu es gentille !

— Je sais que je suis bizarre, admit Sarah avec chaleur, et j'essaie d'être gentille. Papa riait toujours de moi, mais j'aimais ça. Il trouvait que j'étais étrange mais il aimait que j'invente des choses. Je ne peux pas m'en empêcher. Si je n'inventais pas des choses je crois... que je ne pourrais pas vivre, ajouta-t-elle à voix plus basse.

— Quand tu parles des choses, reprit Ermengarde, elles semblent devenir réelles. Tu parles de Melchisédech comme si c'était une personne.

— C'est une personne, dit Sarah. Il a faim et il a peur, comme nous. Et il est marié, il a des enfants. Comment savons-nous qu'il ne pense pas à des choses, comme nous ? Son regard est celui d'une personne. C'est pour ça que je lui ai donné un nom.

Elle s'assit au sol dans sa position favorite, les mains posées sur les genoux.

— En plus, poursuivit-elle, c'est un rat de la Bastille qui m'a été envoyé pour devenir mon ami. J'arrive toujours à rapporter un morceau de pain que la cuisinière a jeté et cela suffit largement pour le nourrir.

— C'est toujours la Bastille, alors ? demanda Ermengarde avec enthousiasme. Tu fais toujours comme si tu étais à la Bastille ?

— Presque toujours, répondit Sarah. Parfois je prétends que c'est un autre endroit mais, en général, c'est la Bastille. C'est plus facile, en particulier quand il fait froid.

À ce moment-là, Ermengarde sauta presque du lit tant elle fut effrayée par un bruit qu'elle entendit. C'était comme deux coups bien distincts frappés au mur.

— C'est quoi ? s'écria-t-elle.

Sarah se leva et répondit sur un ton mélodramatique :

— La prisonnière de la cellule à côté !

— Becky ! s'exclama Ermengarde.

— Oui, dit Sarah. Les deux coups signifiaient : « Prisonnière, es-tu là ? »

Elle frappa deux coups à son tour, ce qui voulait dire : « Oui, je suis là et tout va bien ! »

Quatre coups vinrent depuis le côté de Becky. Sarah traduisit : « Alors, compagnon d'infortune, nous dormirons en paix. Bonne nuit ! »

Ermengarde souriait, l'air enchanté.

— Oh Sarah, murmura-t-elle, c'est comme une histoire !

— C'est une histoire, dit Sarah. Tout est une histoire. Tu es une histoire, je suis une histoire. Miss Minchin est une histoire !

Elle se rassit et parla, si bien qu'Ermengarde oublia qu'elle-même était une sorte de prisonnier évadé. Il fallut que Sarah lui rappelle qu'elle ne pouvait pas passer toute la nuit à la Bastille et qu'il fallait qu'elle redescende sans bruit pour se glisser à nouveau dans le lit qu'elle avait déserté.

10

Le monsieur indien

C'était chose périlleuse pour Ermengarde et Lottie que leurs pèlerinages au grenier car elles ne pouvaient jamais être sûres que Sarah y serait et, encore moins, que Miss Amélie ne ferait pas une tournée d'inspection des chambres alors que les pensionnaires étaient censées dormir. De sorte que leurs visites étaient rares et que Sarah menait une existence à l'écart et solitaire. De fait, elle était encore plus seule quand elle se trouvait en bas que dans sa mansarde. Elle n'avait personne à qui parler et, quand on l'envoyait faire des courses et qu'elle marchait dans les rues, petite silhouette triste portant un panier ou un paquet, tâchant de maintenir son chapeau sur la tête quand le vent soufflait, sentant l'eau rentrer dans ses chaussures quand il pleuvait, elle avait l'impression que côtoyer ces foules de gens pressés augmentait sa sensation de solitude.

Du temps qu'elle était princesse Sarah et qu'elle passait dans les rues dans sa voiture ou à pied, sous la surveillance de Mariette, son petit visage enthousiaste et ses chapeaux originaux amenaient souvent les gens à la regarder. Une jolie petite fille bien soignée attire l'attention. Mais les enfants en haillons ne sont ni assez rares ni assez jolis pour que les gens se retournent sur eux et leur sourient. Plus personne ne regardait Sarah, plus personne ne semblait la remarquer alors qu'elle se hâtait sur les trottoirs encombrés. Elle s'était mise à grandir très vite et comme elle n'était vêtue qu'avec les restes les plus ordinaires de ce qui avait été sa garde-robe, elle savait qu'elle avait une allure véritablement étrange. Tous les vêtements de valeur avaient été vendus et ce qu'on avait conservé pour son usage, elle était censée le porter aussi longtemps qu'elle pourrait y entrer. Parfois, en passant devant une vitrine où se trouvait un miroir, elle riait presque en s'apercevant. Parfois, aussi, elle devenait rouge, se mordait les lèvres et s'en allait, vite.

Le soir, quand elle passait devant des maisons dont les fenêtres étaient éclairées, elle regardait les pièces douillettes et s'amusait à imaginer des choses à propos des gens qu'elle voyait assis devant le feu ou autour d'une table. Jeter un coup d'œil aux pièces avant qu'on ferme les rideaux l'intéressait toujours. À sa façon, elle était devenue familière avec plusieurs familles qui habitaient le square où se trouvait la pension de Miss Minchin. Celle qu'elle aimait le mieux, elle l'appelait la Grande Famille. Elle ne lui donnait pas ce nom parce que ses membres étaient grands, en vérité, ils étaient même plutôt petits, mais parce qu'ils étaient tellement nombreux. Il y avait huit enfants dans la Grande Famille, et une mère bien en chair avec le teint rose, un père bien en chair avec le teint rose, une grand-mère bien en chair avec le teint rose et un bon nombre de domestiques. Les huit enfants partaient toujours en promenade, à pied ou dans des poussettes et des landaus, emmenés par des nounous agréables à regarder, ou alors ils allaient faire un tour en calèche avec leur maman, ou encore, le soir, ils venaient en courant au-devant de leur papa, lui ôtaient son manteau et fouillaient dans ses poches à la recherche de cadeaux, ou encore ils regardaient dehors par les fenêtres de la nursery en se poussant, en se bousculant, en riant. En fait, ils étaient toujours en train de faire quelque chose de plaisant en rapport avec les activités qui sont propres à une grande famille.

Sarah les aimait beaucoup et leur avait donné des noms tout à fait romantiques tirés de ses lectures. Quand elle n'utilisait pas « Grande Famille », elle les appelait les Montmorency. Le gros bébé blond, le plus petit, avec le bonnet de dentelle était Ethelberta Beauchamp Montmorency ; le bébé un peu plus grand était Violette Cholmondeley Montmorency ; le petit garçon qui marchait à peine et qui avait des jambes si rondes était Sydney Cecil Vivian Montmorency. Ensuite il y avait Liliane Évangeline Maud Marion, Rosalinde Gladys, Guy Clarence, Véronique Eustacia et Claude Harold Hector.

Un soir, une chose très amusante arriva quoique, peut-être, dans un sens, ce ne fût pas drôle du tout.

Plusieurs des Montmorency allaient à une fête d'enfants et, juste au moment où Sarah passait devant leur porte, ils traversaient le trottoir pour monter dans la voiture qui les attendait. Véronique Eustacia et Rosalind Gladys, en robes de dentelle blanches, étaient déjà montées en voiture et Guy Clarence, âgé de cinq ans, les suivait. C'était un enfant si charmant, avec des joues si roses et des yeux si bleus, et une si jolie tête ronde couverte de bouclettes que Sarah oublia le panier qu'elle portait et son manteau en loques, elle oublia tout, en réalité, sauf le fait qu'elle eut envie de le contempler un moment. Alors elle s'arrêta et le regarda.

C'était la période de Noël et les enfants de la Grande Famille avaient entendu quantité d'histoires sur des enfants qui étaient pauvres et qui n'avaient pas de papa ni de maman pour remplir leur bas de cadeaux et les emmener au guignol et qui avaient froid, avec leurs habits trop minces, et faim. Dans ces histoires, invariablement, des gens gentils, parfois même des petits garçons et des fillettes au cœur tendre, voyaient des enfants pauvres et leur donnaient de l'argent ou de beaux cadeaux ou les emmenaient chez eux pour leur offrir un excellent dîner. L'après-midi même, Guy Clarence avait été touché aux larmes en lisant une telle histoire et depuis, il brûlait du désir de rencontrer un enfant pauvre et de lui donner une belle pièce de six pence qu'il possédait afin de lui assurer de quoi vivre. À ses yeux, six pence signifiaient l'aisance matérielle pour toute une vie.

Au moment où il passa sur le tapis rouge posé sur le trottoir entre le perron et la voiture, il avait précisément cette pièce de six pence dans la poche de la culotte de son costume de marin. Rosalind Gladys venait de monter dans la voiture et de s'y laisser tomber sur la banquette pour éprouver le confort des ressorts, quand il vit Sarah, immobile sur le trottoir, avec son manteau et chapeau usés et son vieux panier, qui le regardait avidement.

Il pensa que l'avidité de ce regard était due au fait qu'elle n'avait pas mangé depuis longtemps. Il ne savait pas qu'elle avait faim de la vie chaleureuse et joyeuse qu'on menait chez lui et dont son joli visage rose était le témoin. En réalité, elle avait terriblement envie de le prendre dans ses bras et de lui donner un baiser. Il ne vit que les grands yeux, le visage et les jambes maigres, le panier ordinaire, les pauvres vêtements. Aussi mit-il la main à sa poche. Il y trouva la pièce et s'avança gentiment vers elle.

— Tiens, pauvre petite fille, dit-il. Voici ma pièce de six pence. Je te la donne.

Sarah sursauta et en prit conscience d'un coup : elle ressemblait aux petites pauvresses qu'elle avait vues l'attendre sur le trottoir pour la regarder descendre de sa voiture, au temps de ses jours meilleurs. Elle aussi leur avait donné des piécettes plus d'une fois. Elle devint rouge, elle devint pâle, et pendant une seconde elle pensa qu'elle ne pourrait pas accepter la belle pièce.

— Oh ! Non ! dit-elle. Non, merci. Je ne puis accepter !

Sa voix était si différente de celle des enfants des rues ordinaires et ses manières étaient si semblables à celles d'une jeune personne bien élevée que Véronique Eustacia (dont le vrai nom était Jeannette) et Rosalind Gladys (qui s'appelait, en fait, Nora) se penchèrent pour écouter.

Mais Guy Clarence ne fut pas refroidi dans sa générosité. Il posa la pièce dans la main de Sarah.

— Il te faut la prendre, pauvre petite fille ! insista-t-il. Tu peux acheter des choses à manger avec. C'est une belle pièce de six pence !

Il y avait quelque chose de tellement honnête et aimable sur son visage, il allait être si terriblement déçu si elle ne la prenait pas que Sarah comprit qu'elle ne devait pas la refuser. Si bien qu'elle rangea sa fierté dans sa poche quoiqu'elle eût, il faut bien le dire, les joues en feu.

— Merci, dit-elle. Tu es un gentil, gentil amour !

Alors qu'il grimpait tout joyeux dans la voiture, elle s'en alla en essayant de sourire mais le souffle lui manquait et ses yeux ne voyaient plus qu'à travers une brume. Jusqu'alors, elle avait su qu'elle paraissait pauvre sans pourtant croire qu'on pouvait la prendre pour une mendiante.

Tandis que la voiture de la Grande Famille s'éloignait, les enfants, à l'intérieur, discutèrent avec beaucoup d'entrain.

— Oh ! Donald (c'était le vrai nom de Guy Clarence), s'exclama Jeannette d'un ton préoccupé. Pourquoi as-tu donné ta pièce de six pence à cette fille ? Je suis sûre qu'elle n'est pas une mendiante.

— Elle ne parlait pas comme une mendiante, précisa Nora. Et son visage n'était pas celui d'une mendiante.

— En plus, elle ne mendiait pas, remarqua Jeannette. J'ai eu très peur qu'elle ne se fâche contre toi. Tu sais, ça met les gens très en colère quand on les prend pour des mendiants quand ils n'en sont pas !

— Elle n'était pas fâchée, répondit Donald un peu désemparé mais encore ferme sur ses positions. Elle a ri un peu puis elle a dit que j'étais un gentil, gentil amour. C'est juste ce que j'étais ! C'était ma belle pièce de six pence.

Jeannette et Nora se regardèrent.

— Une mendiante n'aurait jamais dit ça, décida Jeannette. Elle aurait dit : « Merci bien mon brave petit m'sieur, merci encore m'sieur ! » Et peut-être aurait-elle fait une révérence.

Sarah ne le sut pas mais, à partir de ce moment-là, la Grande Famille s'intéressa autant à elle qu'elle-même s'intéressait à ses membres. Des visages apparaissaient à la fenêtre de la nursery quand elle passait et bien des discussions avaient lieu autour du feu à son sujet.

— C'est une sorte de servante dans une pension, dit Jeannette. Je pense qu'elle n'est au service de personne. Je la crois orpheline. Mais ce n'est pas une mendiante, tout mal habillée qu'elle est.

Après quoi, tous l'appelèrent la-petite-fille-qui-n'est-pas-une-mendiante, ce qui était, à l'évidence, un nom long et qui sonnait de façon plutôt comique quand les petits voulaient le prononcer rapidement.

Sarah parvint à percer un trou dans la pièce de six pence, y passa un morceau de ruban étroit et la porta attachée autour du cou. Son affection pour la Grande Famille augmenta en même temps qu'augmenta son affection pour tout ce qu'elle pouvait aimer. Elle apprécia Becky de plus en plus et elle attendait avec impatience les deux matins de la semaine où elle allait dans la salle de classe donner leur leçon de français aux petites élèves. Ces dernières l'adoraient et se disputaient le privilège d'être placées près d'elle et de mettre leurs petites mains dans les siennes. Cela nourrissait un peu son cœur en mal d'affection quand elle les sentait se blottir contre elle.

Elle devint tellement amie avec les moineaux que, dès qu'elle se mettait debout sur la table pour sortir la tête et le buste par la lucarne en pépiant, elle entendait presque aussitôt des battements d'ailes et des pépiements en réponse, avant qu'un petit groupe de ces humbles oiseaux des villes apparaisse et s'égaille sur les ardoises en faisant une fête des miettes qu'elle leur jetait.

Avec Melchisédech elle devint intime au point qu'il lui amenait parfois Mme Melchisédech et, à l'occasion, l'un ou l'autre des enfants. Elle avait l'habitude de lui parler et il paraissait tout à fait comprendre.

Une étrange idée s'était formée dans son esprit à propos d'Émilie qui restait toujours assise à tout regarder. Elle l'eut à un moment où elle se sentait particulièrement abandonnée. Elle aurait aimé croire ou faire semblant de croire qu'Émilie la comprenait et qu'elle était en sympathie avec elle. Elle n'aimait pas l'idée que sa seule compagne ne pouvait rien entendre, rien sentir. Elle aimait la poser sur une chaise, s'asseoir face à elle sur le repose-pieds rouge et la regarder en inventant des choses à son propos jusqu'à ce que ses yeux s'agrandissent, remplis d'une espèce de peur, surtout la nuit quand tout était si tranquille, quand le seul bruit dans la mansarde était celui des courses soudaines ou des appels de la famille de Melchisédech dans le mur. Une de ses inventions consistait à faire d'Émilie une bonne magicienne qui pouvait la protéger. Certaines fois, après qu'elle l'avait fixée jusqu'au moment où elle se trouvait transportée au sommet de sa fantaisie, elle lui posait des questions et elle avait presque le sentiment que c'était la poupée qui répondait. Mais ce n'était jamais le cas.

« Pour ce qui est de répondre, se disait Sarah afin de se consoler, je ne réponds pas très souvent. Même, je ne réponds jamais quand je peux l'éviter. Quand les gens vous insultent, il n'y a rien de meilleur pour eux que de ne pas répondre, de les regarder et de réfléchir. Miss Minchin devient blême de rage quand je fais cela, Miss Amélie, elle, semble effrayée, et les filles aussi. Quand vous ne vous emportez pas, les gens savent que vous êtes plus fort qu'eux parce que vous êtes assez fort pour contenir votre colère alors qu'ils n'y parviennent pas, si bien qu'ils vous disent des choses bêtes qu'ils aimeraient ensuite ne pas avoir dites. Il n'y a rien de plus fort que la colère sauf ce qui vous fait la retenir et qui est plus fort. C'est une bonne chose de ne pas répondre à ses ennemis. Je ne le fais presque jamais. Peut-être Émilie me ressemble-t-elle plus que je ne me ressemble. Et qu'elle ne répond pas, pas même aux amis. Elle garde tout dans son cœur. »

Elle essayait de se convaincre avec ces arguments mais ce n'était pas facile.

Quand, au terme d'une journée longue et pénible où on l'avait envoyée ici et là faire des commissions malgré le vent, la pluie et le froid, elle rentrait mouillée et affamée et qu'on la renvoyait ailleurs parce que personne ne voulait se rappeler qu'elle était juste une enfant et que ses jambes maigres pouvaient être fatiguées et son corps maigre, gelé ; quand elle avait reçu des mots blessants et des regards indifférents ou furieux pour tout remerciement ; quand la cuisinière s'était montrée vulgaire et insolente ; quand Miss Minchin avait fait étalage de ses pires humeurs et qu'elle avait vu les filles se moquer de son apparence miteuse, alors elle n'était pas toujours capable de réconforter son cœur meurtri et esseulé avec des inventions pendant qu'Émilie restait assise, droite dans sa vieille chaise, à la fixer.

Un de ces soirs-là, elle monta au grenier. Elle avait faim et froid, une tempête faisait rage dans sa jeune poitrine. Une fois là, le regard fixe d'Émilie lui sembla si vide, ses jambes et ses bras bourrés de sciure si inexpressifs, que Sarah ne parvint plus à se dominer. Elle n'avait personne au monde, personne d'autre qu'Émilie. Et elle, elle restait assise là.

— Je crois que je suis en train de mourir, dit d'abord Sarah.

Émilie se contenta de la regarder.

— Je ne peux plus le supporter, ajouta la malheureuse enfant en tremblant. Je sais que je vais mourir. J'ai froid. Je suis mouillée. Je meurs de faim. J'ai fait des milliers de kilomètres à pied aujourd'hui et elles n'ont rien fait d'autre que me gronder du matin jusqu'au soir. Et parce que je n'ai pas trouvé la dernière chose que la cuisinière m'a envoyée chercher, on m'a privée de dîner. Des hommes ont ri de moi parce qu'à cause de mes vieilles chaussures j'ai glissé et je suis tombée dans la boue. Ils ont ri. Tu entends ?

Elle regarda les yeux fixes en verre et le visage trop sûr de lui. Et soudain, une sorte de rage désespérée s'empara d'elle. Elle leva la main et fit tomber la poupée de la chaise avant de fondre en larmes, elle qui ne pleurait jamais.

— Tu n'es rien qu'une poupée ! cria-t-elle. Rien qu'une poupée ! une poupée ! Tu n'aimes rien ! Tu es pleine de sciure et tu n'as jamais eu de cœur ! Rien ne pourra jamais faire que tu sentes quoi que ce soit. Tu n'es qu'une poupée.

Émilie gisait au sol, les jambes ignominieusement ramenées par-dessus la tête et le bout du nez aplati. Mais elle était calme, gardait l'air digne. Sarah se cacha le visage dans les mains. Dans le mur, Melchisédech punissait un des membres de la famille.

Graduellement, les sanglots de Sarah s'apaisèrent d'eux-mêmes. Cela lui ressemblait si peu de craquer qu'elle était surprise d'elle-même. Elle leva la tête et regarda Émilie qui semblait la regarder de côté avec, cette fois, une nette lueur de sympathie qui brillait dans ses yeux de verre. Sarah la ramassa. Le remords la saisit. Et elle parvint même à sourire – un petit sourire bien pâle !

— Tu ne peux pas t'empêcher d'être une poupée, dit-elle en soupirant, comme Lavinia et Jessie ne peuvent pas s'empêcher d'être sottes. Nous ne sommes pas toutes les mêmes. Tu fais sans doute du mieux que le permet la sciure dont tu es faite.

Sur quoi elle l'embrassa, remit ses vêtements en ordre et la rassit sur sa chaise.

Elle avait toujours souhaité que la maison voisine soit habitée parce que sa fenêtre de toit était très proche de la sienne. Il lui semblait que ce serait plaisant de la voir s'ouvrir pour laisser apparaître une tête et des épaules qui surgiraient par l'ouverture carrée.

« Si c'était une tête agréable je pourrais commencer par dire : “ Bonjour ” et ensuite toutes sortes de choses pourraient se produire. Mais, bien sûr, il est peu probable que quelqu'un d'autre qu'une servante puisse jamais habiter là. »

Un matin, alors qu'elle tournait au coin de la

place après une visite chez l'épicier, le boucher et le boulanger, elle vit avec plaisir que, pendant son absence, un fourgon plein de meubles s'était arrêté devant la maison voisine. La porte d'entrée principale était ouverte et des déménageurs allaient et venaient pour déposer à l'intérieur de lourds paquets et des meubles.

— Elle va être occupée ! s'exclama-t-elle. Enfin ! J'espère qu'une tête agréable va apparaître par la lucarne !

Pour un peu, elle se serait jointe aux badauds qui s'étaient arrêtés sur le trottoir pour regarder ce qu'on apportait dans la maison. Elle songea que, si elle apercevait quelques meubles, elle pourrait se faire une idée des gens qui allaient s'installer.

« Les tables et les chaises de Miss Minchin lui ressemblent, pensa-t-elle. Je me souviens de l'avoir tout de suite remarqué même si, à l'époque, j'étais toute petite. Je l'ai dit à papa ensuite et il a ri en disant que c'était bien vrai. Je suis sûre que la Grande Famille a de bons gros fauteuils confortables et leur papier peint rouge qu'on aperçoit de dehors leur ressemble. Il est chaleureux, accueillant et joyeux. »

Un peu plus tard dans la journée, on l'envoya chercher du persil chez l'épicier. Quand elle arriva en haut de l'escalier du sous-sol, elle eut un coup au cœur ; plusieurs meubles qu'on avait sortis du fourgon étaient posés sur le trottoir. Il y avait une table en teck finement travaillée, quelques chaises du même bois, un paravent orné de délicates broderies orientales. En le voyant, elle ressentit une violente nostalgie. Elle avait connu tant de choses semblables aux Indes. Un des objets que Miss Minchin lui avait pris était même un petit bureau en teck sculpté que son père lui avait envoyé.

« Ce sont de jolies choses, se dit-elle. Elles doivent appartenir à des personnes gentilles. Tout semble assez précieux. Je pense qu'il s'agit d'une famille riche. »

Les fourgons de meubles se succédèrent tout le long de la journée et furent déchargés les uns après les autres. Plusieurs fois Sarah eut l'occasion de voir ce qu'on en sortait. Il devint évident qu'elle avait vu juste en supposant que les nouveaux habitants étaient fortunés. Tous les meubles étaient de grand prix et, pour l'essentiel, orientaux. De superbes tapis, des draperies, des objets décoratifs étaient tirés des fourgons, des tableaux et assez de livres pour une bibliothèque. Entre autres choses, il y eut un superbe Bouddha en or avec son petit autel.

« Un membre de la famille doit être allé aux Indes, pensa Sarah. Ils se sont habitués aux objets indiens et les aiment. Je suis contente.

J'aurai l'impression que ce sont des amis même si aucune tête ne paraît par la lucarne. »

Alors qu'elle rapportait le lait du soir pour la cuisinière – en fait, il n'y avait pas de tâche qu'on hésitait à lui confier – elle fut témoin d'un fait qui rendit la situation encore plus intéressante. Le beau monsieur au teint rose qui n'était autre que le père de la Grande Famille traversa le square à pied, sans faire de façons, et monta l'escalier de la maison voisine. Il le grimpa comme s'il avait l'habitude de le monter et de le descendre et comme s'il avait l'intention de le faire souvent dans le futur. Il demeura un bon moment à l'intérieur et sortit à plusieurs reprises pour donner des consignes aux hommes qui travaillaient, comme s'il avait le droit de le faire. À l'évidence, c'était un intime des nouveaux occupants et il agissait en leur nom.

« Si les nouveaux ont des enfants, songea Sarah, les enfants de la Grande Famille viendront sûrement jouer avec eux et ils monteront peut-être tous au grenier, pour s'amuser. »

Le soir, une fois leur besogne achevée, Becky vint rendre visite à sa voisine de prison et lui donner des nouvelles.

— C'est un monsieur d'Indes qui vient vivre à côté de chez nous, mamoiselle, lui dit-elle. On sait pas s'il est noir ou non mais ce qui est sûr c'est que c'est un Nindien. Il est très riche mais il est malade et le monsieur de la Grande Famille, c'est son homme de loi. Il a eu plein d'ennuis et à cause d'eux il est devenu malade et il a plus toute sa tête à lui. Il adore des idoles, mamoiselle. C'est un mécréyant qui fait ses prières à du bois et à de la pierre ! Faudrait y envoyer un catéchisme, un de ceux qu'on peut acheter pour pas cher !

Sarah se mit à rire.

— Je ne crois pas qu'il adore cette idole, dit-elle. Il existe des gens qui en ont chez eux parce qu'elles sont intéressantes à regarder. Mon papa en avait une superbe mais il ne l'adorait pas.

Becky préférait s'en tenir à sa version qui faisait du nouveau voisin un mécréyant, comme elle disait. C'était infiniment plus romantique qu'un vieux monsieur ordinaire qui allait à l'église avec son livre de prières. Elle s'assit et, cette nuit-là, elle resta longtemps à parler de ce à quoi il pouvait ressembler, de ce que à quoi pouvait ressembler son épouse, s'il en avait une, et de l'allure que pouvaient avoir leurs enfants, s'ils en avaient. Sarah constata que Becky espérait en secret qu'ils seraient tous noirs, qu'ils porteraient des turbans et qu'ils seraient aussi mécréyants que leur père.

— Je n'ai jamais habité à côté de mécréyants, mamoiselle, avoua-t-elle. Je voudrais bien savoir comment ils vivent.

Il fallut cependant plusieurs semaines avant que sa curiosité soit satisfaite. Il apparut alors que le voisin n'avait ni femme ni enfants. C'était un homme seul, sans aucune famille, et, à l'évidence, de santé fragile et malheureux.

Une voiture parut un jour et s'arrêta devant la maison. Quand le cocher descendit de son siège pour ouvrir la portière, ce fut le père de la Grande Famille qui descendit le premier. Après lui sortit une infirmière en uniforme puis deux serviteurs. Ils vinrent aider leur maître à descendre de la voiture. C'était un homme hagard, au regard désemparé, dont le corps squelettique était enveloppé de fourrures. On le porta en haut des marches. Le chef de la Grande Famille l'accompagna, l'air très inquiet. Peu après la voiture d'un docteur arriva et ce dernier entra aussi, certainement pour s'occuper de lui.

— Il y a un monsieur tout jaune dans la maison d'à côté, murmura Lottie pendant la leçon de français, un peu plus tard. Tu crois qu'il est chinois ? La géographie dit que les Chinois sont jaunes.

— Non, il n'est pas chinois, répondit Sarah doucement, il est juste très malade. Continue ton exercice, Lottie. « *Non, monsieur, je n'ai pas le canif de mon oncle.* »

Ainsi commença l'histoire du monsieur indien.

11

Ram Dass

Il y avait parfois de jolis couchers de soleil, même sur la petite place. On ne les apercevait toutefois qu'en partie, entre les cheminées, par-dessus les toits. Depuis la fenêtre de la cuisine, il était impossible de les voir, tout au plus pouvait-on les deviner, au fait que la couleur des briques devenait plus chaude, que l'air rosissait ou jaunissait pendant un moment et, parfois, on apercevait un rayon de soleil reflété par une vitre. Il existait cependant un endroit qui permettait de les contempler dans toute leur splendeur ; les nuages rouges et dorés empilés à l'ouest, ou ceux qui étaient pourpres avec une bordure étincelante, ou les petits cotonneux qui flottaient, de la couleur des roses pâles, et qui avaient l'air d'un vol de colombes roses et qui traversaient le bleu en grande hâte si le vent soufflait. L'endroit d'où l'on pouvait voir tout ça et où il semblait qu'on respirait un air plus pur, c'était, bien sûr, la fenêtre de toit, au grenier. Quand la place, en bas, semblait se mettre à irradier malgré ses grilles et ses arbres étiques, Sarah savait qu'il se passait quelque chose dans le ciel. S'il lui était possible de quitter la cuisine sans qu'on la cherche ou qu'on la rappelle, elle filait, escaladait les volées d'escaliers, montait sur la vieille table. Une fois là, elle respirait à fond et regardait autour d'elle. Elle avait alors l'impression que le ciel et le monde étaient tout entiers à elle. Personne ne regardait depuis les autres greniers. Généralement les autres vasistas étaient fermés mais même quand ils étaient soulevés, pour laisser entrer l'air, personne ne s'en approchait. Sarah se tenait là. Parfois elle tournait son visage vers le bleu du ciel qui semblait si amical et si proche, juste comme un plafond voûté, parfois elle regardait l'ouest et toutes les merveilles qui s'y déroulaient. Les nuages fondaient, s'empilaient ou, simplement, attendaient d'être colorés en rose, en cramoisi, en blanc de neige, en pourpre, en gris tourterelle pâle. Parfois ils se transformaient en îles, en hautes montagnes avec leurs lacs de turquoise profond, d'ambre liquide, de vert chrysoprase[1]. Des caps ombreux s'avançaient dans d'étranges mers perdues. Des bandes de terre magique s'accolaient à d'autres bandes de terre magique. Il y avait des endroits où il semblait qu'on pouvait courir, escalader, se tenir debout pour attendre et observer ce qu'il allait se passer ensuite et, si le tout venait à s'effilocher, on serait emporté dans les airs. C'était du moins l'impression qu'avait Sarah et elle n'avait jamais rien vu de plus beau que ce qu'elle apercevait par la lucarne, tandis que les moineaux pépiaient et que la douceur du crépuscule se reflétait sur les tuiles. Au moment où avaient lieu toutes ces merveilles, les moineaux semblaient pépier avec une douceur toute spéciale.

Il y eut un crépuscule dans ce genre quelques jours après que le monsieur indien fut conduit dans sa nouvelle maison et comme, par bonheur, le travail de la journée était terminé à la cuisine et que personne ne lui avait ordonné de course ou de tâche supplémentaires, Sarah put s'éclipser et gravir l'escalier encore plus facilement que d'habitude.

---

1. La chrysoprase est une variété de pierre précieuse, en fait du silice cristallisé.

Grimpée sur la table, elle se mit à regarder. C'était un moment merveilleux. Il y avait des flots d'or fondu qui couvrait l'ouest, comme si une glorieuse marée balayait le monde. L'air était empli d'une chaude lumière jaune. Les oiseaux qui volaient au-dessus des maisons étaient d'un noir uni et absolu.

« C'est un crépuscule splendide, songea Sarah. Il me remplit d'appréhension, comme si quelque chose d'étrange allait m'arriver. Ceux qui sont splendides me font toujours cet effet. »

Elle tourna brusquement la tête parce qu'elle entendit un bruit à quelques mètres d'elle. C'était comme un étrange petit jacassement aigu. Il venait de la fenêtre voisine. Quelqu'un était monté regarder le crépuscule, comme elle. Il y avait une tête et une portion de torse qui émergeaient de la lucarne. Mais ce n'était pas ceux d'une petite fille ou d'une bonne. C'était la silhouette pittoresque drapée de blanc et la tête enturbannée au visage sombre et aux yeux brillants d'un serviteur indien – un lascar, se dit aussitôt Sarah. Le petit bruit étrange qu'elle entendait était le fait d'un petit singe qu'il tenait affectueusement dans les bras et qui se pelotonnait contre sa poitrine en bavardant.

Quand Sarah regarda l'homme, il la regarda aussi. La première chose qui lui vint à l'idée fut que sur le visage sombre se lisaient du chagrin et le mal du pays. Elle en était sûre, il était monté regarder le soleil parce qu'on le voit si rarement en Angleterre et qu'il lui manquait. Elle le considéra un petit moment avec attention, puis lui sourit. Elle avait appris à quel point un sourire, même celui d'un inconnu, peut être réconfortant.

Le sien fit visiblement plaisir à l'inconnu. Toute son expression changea et, pour lui rendre son sourire, il exhiba des dents si blanches, si étincelantes qu'une lumière sembla illuminer tout d'un coup le visage assombri. Le regard amical de Sarah faisait toujours de l'effet sur les gens qui se sentaient fatigués ou tristes.

Ce fut peut-être en la saluant qu'il lâcha le singe. C'était une petite bête espiègle, toujours prête pour une aventure et que, très probablement, la présence d'une fillette excitait beaucoup. Il s'échappa, sauta sur les ardoises, courut en jacassant, bondit sur l'épaule de Sarah puis, de là, dans la mansarde. Cela la fit rire et l'enchanta mais elle sut qu'elle devait le rendre à son maître, si le lascar était son maître, et se demanda comment elle allait bien pouvoir faire. Le singe se laisserait-il attraper par elle ou se montrerait-il sauvage en refusant de se laisser prendre, au risque, peut-être, de s'enfuir et de se perdre sur les toits ? Cela, il fallait l'éviter. Peut-être qu'il appartenait au monsieur indien et que le pauvre homme l'aimait énormément !

Elle se tourna vers le lascar, toute contente de se souvenir encore du peu d'hindoustani qu'elle avait appris au temps où elle vivait avec son père. Elle put se faire comprendre en parlant à l'homme la langue qu'il connaissait.

— Il me laissera l'attraper ? demanda-t-elle.

Quand elle parla dans sa langue familière, la surprise et la joie se peignirent sur le visage de l'homme comme, pensa-t-elle, elle l'avait rarement vu. Le fait est que le pauvre bougre eut l'impression que ses dieux étaient intervenus et que la petite voix gentille venait du paradis même. Sarah sut tout de suite qu'il avait l'habitude des enfants européens. Il déversa un flot de remerciements polis. Il était le serviteur de mam'selle sahib ; le singe était un gentil singe et ne mordrait pas ; mais, malheureusement, il serait difficile à rattraper. Il filerait d'un endroit à l'autre à la vitesse de l'éclair. Il était désobéissant mais pas méchant. Ram Dass le connaissait comme s'il était son enfant, et il obéissait quelquefois à Ram Dass mais pas toujours. Si mam'selle sahib le permettait, Ram Dass traverserait le toit jusqu'à la fenêtre, entrerait et récupérerait lui-même le vilain petit animal. Mais il avait peur que Sarah ne pense qu'il prenait une liberté trop grande et qu'elle ne le laisse pas venir.

Sarah le lui permit aussitôt.

— Vous pouvez passer sur le toit ? s'enquit-elle.

— En un instant, lui répondit-il.

— Alors venez, dit-elle, il court d'un côté à l'autre de la pièce comme s'il avait peur.

Ram Dass sortit par sa fenêtre et vint jusqu'à la sienne aussi sûrement et légèrement que s'il avait marché sur des toits toute sa vie. Il passa par la lucarne et sauta sans faire le moindre bruit. Il se tourna vers Sarah et la salua encore longuement. En le voyant, le singe poussa un petit cri. Ram Dass prit aussitôt la précaution de fermer la lucarne, puis il se lança à sa poursuite. Ce ne fut pas très long. Le singe la fit durer quelques minutes, visiblement pour s'amuser, jusqu'au moment où il sauta dans les bras de Ram Dass en jacassant avant d'accrocher à son cou ses longues pattes maigres.

Ram Dass remercia Sarah profondément. Sarah l'avait vu, le regard de l'Indien avait tout de suite noté la pauvreté et le délabrement de la chambre ; il s'adressa pourtant à elle comme à la fille d'un rajah et fit comme s'il n'avait rien vu. Une fois le singe capturé, il ne se permit pas de rester plus de quelques minutes ; il les passa à l'assurer de son dévouement et de sa reconnaissance, à la remercier de son indulgence. Ce petit démon, dit-il en caressant le singe, n'était pas aussi démoniaque qu'il en avait l'air et, par moments, il amusait son maître qui était malade. Ce dernier aurait été triste d'apprendre que la petite bête s'était échappée et perdue. Puis il la salua et s'en fut par où il était venu en déployant autant d'agilité qu'en avait montré le singe.

Quand il fut parti, Sarah resta debout au milieu de la mansarde en songeant à tout ce que cette rencontre lui ramenait à l'esprit. Le costume et la profonde déférence du serviteur indien avaient remué bien des souvenirs. Dire que la petite bonne qui s'était fait insulter par la cuisinière une heure plus tôt avait été entourée, quelques années auparavant, par des gens qui la traitaient comme Ram Dass l'avait traitée, qui la saluaient longuement quand elle passait, qui touchaient presque le sol de leur front quand elle leur parlait, qui étaient ses serviteurs et ses esclaves ! C'était une sorte de rêve. C'était fini et cela ne reviendrait jamais. Elle ne voyait pas comment le moindre changement pourrait encore se produire. Elle savait que Miss Minchin avait une idée précise de ce que serait son avenir. Aussi longtemps qu'elle serait trop jeune pour être professeur attitré, elle servirait de fille de course et de domestique, étant entendu qu'on attendait d'elle qu'elle n'oublie pas ce qu'elle savait déjà et qu'elle apprenne plus – à elle de voir comment ! Elle était censée passer l'essentiel de ses soirées à étudier et, de temps à autre, on contrôlait ses progrès. Elle savait qu'elle se ferait sévèrement réprimander si elle ne faisait pas les progrès qu'on attendait d'elle. En fait, Miss Minchin savait qu'elle avait trop envie d'apprendre pour avoir besoin de professeurs. Qu'on lui donne des livres et elle les dévorerait et finirait par les savoir par cœur ! On pouvait lui faire confiance : encore quelques années et elle serait capable d'enseigner toutes sortes de matières. C'est ce qui arriverait : quand elle serait grande, on lui demanderait de s'échiner dans la salle de classe comme on lui demandait maintenant de s'échiner un peu partout dans la maison. Bien sûr, il faudrait lui donner des vêtements plus convenables mais on pouvait en être sûr, ils seraient laids et ordinaires et la feraient ressembler encore plus à une domestique. C'était là tout ce qui semblait devoir l'attendre et Sarah demeura un bon moment immobile, à y penser.

Puis une idée lui vint qui lui mit du rose aux joues et des étincelles de lumière dans le regard. Elle redressa son petit corps maigre et releva la tête.

— Quoi qu'il arrive, il y a une chose qui ne

pourra pas changer, dit-elle. Si je puis être une princesse en haillons, je resterai toujours une princesse, à l'intérieur. Quand on porte une robe dorée, c'est facile d'être une princesse mais c'est beaucoup plus méritoire de l'être quand personne ne le sait. Marie-Antoinette était encore plus royale au moment où elle était en prison, portait une robe sombre, avait les cheveux blancs et quand on l'appelait la veuve Capet. Je la préfère à ce moment-là. Les cris du peuple ne l'émouvaient pas. Elle était plus forte qu'eux, même s'ils lui ont coupé la tête.

C'était une pensée qui était tout sauf nouvelle. Elle l'avait déjà consolée dans les mauvais jours et lui avait permis de vaquer à ses corvées domestiques avec, sur le visage, une expression que Miss Minchin ne parvenait pas à comprendre et qui la contrariait considérablement car il lui semblait que la fillette vivait mentalement une existence qui la plaçait au-dessus du reste du monde. C'était comme si elle entendait à peine les propos grossiers et méchants qu'on lui adressait. Ou alors, si elle les entendait, elle ne s'en souciait pas du tout. Parfois, au milieu d'une sévère réprimande qu'elle lui faisait, Miss Minchin découvrait sur elle son regard fixe et, dans ce regard qui n'avait plus rien d'enfantin, une sorte de fierté ironique. Elle ne se doutait pas que Sarah se disait :

« Tu ne sais pas que tu t'adresses à une princesse et qu'il suffirait que je fasse un geste pour qu'on te coupe la tête. Je t'épargne seulement parce que je suis une princesse et que tu es une malheureuse créature stupide, vulgaire, méchante et incapable de comprendre. »

Cela l'amusait plus que tout. Et pour étrange que cela fût, cela lui était bénéfique. Tant qu'elle agitait ce genre de pensée, la méchanceté et l'impolitesse des autres ne pouvaient pas déteindre sur elle.

« Une princesse se doit d'être polie », se répétait-elle.

Si bien que quand les domestiques, à l'imitation de leur maîtresse, s'imaginaient être insolentes et tatillonnes, elle gardait la tête droite et leur répondait avec une politesse qui leur faisait faire des yeux tout ronds.

— Elle a plus d'allure et de grâce, cette petite, que si elle sortait tout droit de Buckingham Palace, disait la cuisinière qui s'en amusait parfois. Je me mets en colère contre elle plus qu'à mon tour mais je dois dire qu'elle n'oublie jamais ses belles manières. Ses « s'il vous plaît, madame la cuisinière », « auriez-vous l'obligeance, madame la cuisinière », « je vous demande pardon, madame la cuisinière », elle les égrène à la cuisine comme si de rien n'était.

Le lendemain de sa rencontre avec Ram Dass et le singe, Sarah était dans la salle de classe avec les petites. Elle avait terminé sa leçon et ramassait les cahiers d'exercices tout en songeant à ce que certains grands personnages avaient dû supporter à un moment où ils dissimulaient leur véritable identité. Son expression était celle qui exaspérait Miss Minchin au plus haut point et comme cette dernière se trouvait à côté, elle fonça sur Sarah et lui donna une paire de claques exactement comme l'avait fait la femme du vacher à Alfred le Grand parce qu'il avait laissé brûler des gâteaux. Sarah sursauta. Les coups la tirèrent brusquement de sa rêverie et, sans vraiment se rendre compte de ce qu'elle faisait, elle se mit à rire.

— Pourquoi riez-vous, espèce de petite effrontée ? s'écria Miss Minchin.

Il fallut quelques secondes à Sarah pour se contrôler et se rappeler qu'elle était une princesse. Ses joues étaient encore rouges et chaudes à cause des gifles qu'elle avait reçues.

— Je pensais, dit-elle.

— Demandez-moi pardon immédiatement, dit Miss Minchin.

Sarah hésita un court instant avant de répondre :

— Je vous demande pardon d'avoir ri, si toutefois c'était malpoli. Mais je ne vous demanderai pas pardon de ce que j'ai pensé.

— Et qu'avez-vous pensé ? demanda Miss Minchin. Du reste, comment osez-vous penser ? À quoi pensiez-vous ?

Jessie gloussa, et elle et Lavinia se poussèrent du coude. Toutes les filles levèrent la tête de leurs livres et se mirent à écouter. En réalité, cela les intéressait toujours quand Miss Minchin s'en prenait à Sarah. Cette dernière répondait toujours quelque chose d'inattendu et ne semblait pas avoir peur. Elle n'avait d'ailleurs pas du tout peur pour le moment, même si ses joues et ses oreilles étaient encore écarlates tandis que ses yeux brillaient comme des étoiles.

— Je pensais, répondit-elle sur un ton qui mêlait fierté et politesse, que vous ne saviez pas ce que vous faisiez.

— Je ne savais pas ce que je faisais ! dit Miss Minchin qui s'étouffait.

— Non, dit Sarah. Et je pensais à ce qui arriverait si j'étais une princesse et que vous me gifliez, à ce que je vous ferais. Je me disais que, si c'était le cas, vous n'oseriez jamais me frapper, quoi que je dise ou fasse. Et je m'imaginais votre surprise et votre crainte si vous vous rendiez brusquement compte...

Elle avait l'image si clairement sous les yeux

que sa façon d'en parler impressionnait même Miss Minchin. Son esprit étriqué et dépourvu d'imagination fit croire à cette dernière qu'un pouvoir se cachait derrière cette audace pleine de candeur.

— Compte de quoi ? s'écria-t-elle. Me rendre compte de quoi ?

— De ce que je suis vraiment une princesse et que je puis faire tout ce qu'il me plaît.

Toutes les paires d'yeux des pensionnaires s'arrondirent au maximum sous l'effet de la surprise. Lavinia se pencha en avant pour mieux voir.

— Montez dans votre chambre, cria Miss Minchin, toute pantelante. Sortez de cette salle ! Et vous, mesdemoiselles, revenez à votre travail !

Sarah s'inclina légèrement.

— Excusez-moi d'avoir ri si c'était malpoli, dit-elle avant de sortir, laissant Miss Minchin se débattre avec sa colère et les filles murmurer derrière leurs livres de classe.

— Tu l'as vue ? dit Jessie. Tu as vu l'air bizarre qu'elle avait ? Je ne serais pas surprise qu'elle finisse par devenir quelqu'un. Imagine que ce soit le cas !

12

De l'autre côté du mur

Quand on habite des maisons mitoyennes, il est intéressant de penser à ce qui se fait et se dit de l'autre côté du mur de la pièce où on se tient. Sarah aimait bien s'amuser à imaginer ce que cachait le mur séparant la pension sélecte de la maison du monsieur indien. Elle savait que la salle de classe touchait le cabinet de travail du monsieur et elle espérait que le mur était assez épais pour que le bruit qui se faisait parfois après les leçons ne l'incommode pas.

— Je me mets à beaucoup l'apprécier, dit-elle à Ermengarde. Je ne voudrais pas qu'on le dérange. Je l'ai adopté comme ami. On peut faire ça même avec des gens à qui on ne parle jamais. On peut les observer, penser à eux, les plaindre jusqu'à ce qu'ils deviennent comme des connaissances. Je m'inquiète quand je vois que le docteur vient deux fois dans la même journée.

— J'ai très peu de connaissances, dit Ermengarde en réfléchissant, et j'en suis heureuse. Je n'aime pas celles que j'ai. Mes deux tantes sont tout le temps à répéter : « Oh ! là ! là ! Ermengarde, que tu es grosse ! Tu ne devrais pas manger de sucreries ! » et mon oncle me demande toujours des choses du genre : « Quand Édouard III est-il monté sur le trône ? » ou « Qui est mort d'une indigestion de lamproies ? »

Sarah rit.

— Les gens à qui on ne parle jamais ne peuvent pas poser ce genre de questions, dit-elle, et, j'en suis sûre et certaine, le monsieur indien ne le ferait pas même si nous étions intimes. Je l'aime bien !

Elle s'était mise à bien aimer la grande famille parce que tous ses membres avaient l'air heureux. Elle appréciait le monsieur indien parce qu'il avait l'air malheureux. À l'évidence, il ne s'était pas totalement remis de sa grave maladie. À la cuisine où, bien sûr, par quelque moyen mystérieux, les domestiques savaient tout, beaucoup de conversations roulaient sur son compte. En fait, ce n'était pas un Indien mais un monsieur anglais qui avait vécu aux Indes. Il avait connu de sérieux coups du sort qui, pendant un temps avaient tellement mis en péril sa fortune qu'il s'était cru absolument ruiné et discrédité pour toujours. Le choc avait été si violent qu'il avait manqué mourir d'une fièvre cérébrale. Et, depuis, sa santé demeurait chancelante bien que la chance ait tourné de telle façon que tous ses biens lui étaient restés. Ses soucis et cette alarme étaient en liaison avec des mines.

— Il y a des mines de diamants dans le lot, dit la cuisinière. Jamais j'irai mettre un sou de mes économies dans les mines de diamants, ajouta-t-elle avec un coup d'œil à Sarah. Nous savons tous à quoi nous en tenir à leur sujet !

« Il a ressenti ce qu'a ressenti mon papa, pensa Sarah, et il est tombé malade lui aussi. Seulement il n'est pas mort, lui. »

De sorte qu'elle eut encore plus de sympathie pour lui qu'auparavant. Quand on l'envoyait dehors de nuit, elle était contente parce qu'il y avait toujours une chance pour que les rideaux ne soient pas encore tirés et qu'elle puisse apercevoir son ami d'adoption, bien au chaud dans le salon. Quand personne n'était en vue à l'entour, elle avait l'habitude de s'arrêter et, cramponnée aux grilles, de lui souhaiter bonne nuit, comme s'il pouvait l'entendre.

« Peut-être pouvez-vous le ressentir à défaut de l'entendre, s'imaginait-elle. Peut-être les pensées bienveillantes atteignent-elles les gens malgré les portes, les fenêtres et les murailles. Peut-être sentez-vous un peu de chaleur et de réconfort sans savoir pourquoi alors que je me tiens dans le froid à souhaiter que vous alliez mieux et que vous soyez heureux à nouveau. J'ai de la peine pour vous, chuchotait-elle d'une voix intense. J'aimerais que vous ayez une “ petite dame ” qui puisse vous cajoler comme je cajolais mon papa quand il avait mal à la tête. J'aimerais bien être votre “ petite dame ”, mon pauvre ami. Bonne nuit ! Bonne nuit ! Et Dieu vous garde ! »

Puis elle s'en allait ; elle se sentait réconfortée et un peu réchauffée elle-même. Sa sympathie pour lui était si forte qu'il semblait bien qu'elle devrait finir par l'atteindre d'une façon ou d'une autre tandis qu'il se tenait assis seul, près du feu, presque toujours vêtu d'une grande robe de chambre grise, presque toujours le front posé sur une main, à fixer les flammes d'un air désespéré. Il donnait l'impression à Sarah que les soucis qui pesaient sur son esprit n'étaient pas seulement du domaine du passé mais bien actuels.

« On croirait qu'il pense sans arrêt à quelque chose qui lui fait de la peine, se disait-elle. Pourtant il a récupéré sa fortune, et la fièvre disparaît avec le temps. Il ne devrait pas être comme ça. Je me demande s'il n'y a pas autre chose. »

S'il y avait quelque chose d'autre que même les domestiques ignoraient, elle ne pouvait pas s'empêcher de croire que le père de la Grande Famille était au courant, celui qu'elle appelait M. Montmorency. Il allait voir le monsieur indien très souvent, Mme Montmorency aussi, ainsi que les enfants, quoique moins souvent. Le monsieur indien semblait particulièrement apprécier les deux grandes filles, cette Jeannette et cette Nora qui s'étaient inquiétées quand Donald avait donné sa belle pièce à Sarah. En réalité, il avait beaucoup de tendresse pour les enfants, particulièrement pour les petites filles. Jeannette et Nora, elles, l'aimaient autant qu'il les aimait et attendaient avec impatience les après-midi où elles étaient autorisées à traverser la petite place pour lui rendre de petites visites d'enfants sages. C'étaient des visites très protocolaires dans la mesure où elles se déroulaient chez un malade.

— Il est bien à plaindre, disait Jeannette, et il dit que nous le réconfortons. Nous tâchons de le réconforter très calmement !

Jeannette était le chef de la famille et tenait les autres en main. Elle décidait quand la discrétion permettait qu'on lui demande une histoire à propos des Indes, elle voyait quand il était fatigué, qu'il était temps de s'en aller tranquillement et de dire à Ram Dass de retourner s'occuper de lui. Elle aimait aussi beaucoup Ram Dass. Il leur aurait raconté quantité d'histoires s'il avait parlé une autre langue que l'hindoustani. Le nom du monsieur indien était Carrisford et Jeannette raconta à M. Carrisford leur rencontre avec la petite-fille-qui-n'est-pas-une-mendiante. Il fut très intéressé et son intérêt s'accrut quand Ram Dass lui raconta l'aventure du singe sur le toit. Ram Dass décrivit parfaitement la mansarde, la désolation du sol nu et du plâtre qui s'écaillait, du foyer rouillé et toujours sans feu, du lit étroit et dur.

— Carmichael, dit-il au père de la Grande Famille après qu'il entendit ce récit, je me demande combien il y a de mansardes autour de cette place dans lesquelles de malheureuses petites servantes couchent dans de tels lits pendant que je tourne et retourne mes oreillers, harassé sous le poids de ma fortune, dont l'essentiel ne m'appartient même pas !

— Mon bon ami, répondit M. Carmichael d'un ton chaleureux, plus vite vous cesserez de vous tourmenter et mieux ce sera. Même si vous possédiez toutes les richesses des Indes, vous ne pourriez pas soulager tout l'inconfort du monde, et si vous vous mettiez en tête de meubler toutes les mansardes de cette place, il resterait toutes les mansardes de toutes les autres places et de toutes les rues. Alors vous voyez bien !

M. Carrisford s'assit et se mit à se ronger les ongles en regardant l'épaisse couche de charbon qui brûlait dans l'âtre.

— Pensez-vous que cette enfant, demanda-t-il, cette enfant à laquelle je pense sans répit puisse être réduite à la même situation que la pauvre petite fille d'à côté ?

M. Carmichael le regarda, mal à son aise. Il savait que ce que son ami pouvait faire de pire, pour sa raison et sa santé, était de se mettre à envisager de cette façon particulière ce sujet particulier.

— Si l'enfant qui était en pension à Paris chez Mme Pascal était bien celle que nous recherchons, répondit-il paisiblement, il semble qu'elle se trouve actuellement confiée aux soins de gens qui peuvent bien s'occuper d'elle. Ils l'ont adoptée parce qu'elle était la compagne favorite de leur fille qui est morte. Ils n'avaient pas d'autre enfant et Mme Pascal dit qu'il s'agissait de Russes très à leur aise.

— Et cette misérable bonne femme n'a pas su où ils l'avaient emmenée ! s'écria M. Carrisford.

M. Carmichael haussa les épaules.

— C'est une Française rusée et matérialiste qui, de toute évidence, n'a été que trop contente de se débarrasser de la petite à si bon compte après que la mort de son père l'a laissée sans moyens. Les femmes dans son genre ne se soucient pas de l'avenir d'enfants qui pourraient devenir une charge pour elles. Les parents adoptifs ont disparu sans laisser de trace.

— Mais vous dites bien : « Si l'enfant était celle que je recherche. » Si ! Vous n'êtes pas sûr. Il y avait une différence dans le nom.

— Mme Pascal le prononçait comme si c'était Carew et non Crewe. Mais ce peut être simplement une mauvaise prononciation. Les circonstances sont curieusement identiques. Un officier anglais des Indes a placé son enfant orpheline de mère dans sa pension. Il est mort subitement après avoir perdu toute sa fortune.

M. Carmichael fit une pause avant de demander :

— Êtes-vous sûr que l'enfant était en pension à Paris ? Êtes-vous bien sûr que c'était Paris ?

— Mon cher ami, répondit M. Carrisford avec une certaine amertume, je ne suis sûr de rien. Je n'ai jamais vu ni la mère ni la fille. Ralph Crewe et moi étions de très proches amis d'enfance mais nous ne nous étions pas revus depuis l'école quand nous nous sommes rencontrés aux Indes. J'étais complètement pris par ce magnifique projet des mines. Il s'est passionné lui aussi. Le tout était si énorme et si brillant que nous avons à moitié perdu la tête. Quand nous nous sommes vus, nous n'avons pratiquement parlé que de ça. J'ai su seulement que l'enfant avait été envoyée en pension. Et maintenant, je ne me rappelle même pas comment je l'ai su.

Il commençait à perdre son calme. Il le perdait toujours quand son cerveau encore faible remuait le souvenir des catastrophes passées.

M. Carmichael l'observait avec inquiétude. Il fallait poser des questions mais il fallait le faire doucement, avec précaution.

— Mais vous aviez des raisons de penser que la pension était à Paris ?

— Oui, la mère était française et j'avais entendu dire qu'elle souhaitait que sa fille soit éduquée à Paris. Il semblait vraisemblable qu'elle se trouve là.

— Oui, cela semble plus que probable.

Le monsieur indien se pencha en avant et frappa la table de sa longue main maigre.

— Carmichael, dit-il, je dois la trouver. Si elle est vivante, elle est quelque part. Si elle est sans ami ni argent, c'est de ma faute. Comment un homme pourrait-il guérir ses nerfs avec un tel fardeau pesant en permanence sur son esprit ? Un brusque revirement de la chance a fait une réalité de nos rêves les plus fous et, pendant ce temps, la pauvre fille de Crewe est peut-être en train de mendier dans les rues !

— Non ! non ! dit M. Carmichael. Tâchez de vous calmer. Et consolez-vous en vous disant que quand vous la retrouverez, vous aurez une véritable fortune à lui restituer !

— Pourquoi n'ai-je pas eu le courage de faire front quand les choses semblaient aller mal ? grogna M. Carrisford au comble du malheur. Je suppose que j'aurais fait face si je n'avais pas eu la responsabilité de l'argent d'un autre en plus du mien. Le pauvre Crewe avait investi jusqu'à son dernier penny dans l'affaire. Il me faisait confiance autant qu'il m'aimait. Et il est mort en pensant que je l'avais ruiné, moi, Tom Carrisford qui jouait au cricket avec lui à Eton. Comme il a dû penser que j'étais un misérable !

— Ne vous faites donc pas des reproches aussi amers !

— Je ne me reproche pas le fait que la spéculation a failli louper, je me reproche d'avoir perdu courage. Je me suis enfui comme un escroc et un voleur parce que je n'avais pas le courage d'aller voir mon ami en face et de lui avouer que je l'avais ruiné, en même temps que sa fille !

Le père de la Grande Famille qui avait bon cœur posa la main sur son épaule pour le réconforter.

— Vous vous êtes enfui parce que votre cerveau a cédé sous la pression de la torture morale, dit-il. Vous étiez déjà à demi délirant. Sinon, vous seriez resté et vous vous seriez battu. Mais vous étiez dans un hôpital, attaché dans un lit, en proie à une violente fièvre cérébrale et, deux jours plus tard, vous vous êtes enfui. Souvenez-vous-en !

Carrisford posa le front sur ses mains.

— Bonté divine, dit-il, c'est vrai ! La peur et l'horreur me rendaient fou ! Je ne dormais plus depuis des semaines. La nuit, je me traînais hors de la maison et l'air semblait rempli de choses hideuses qui se moquaient de moi et grimaçaient.

— C'est là une explication suffisante à votre comportement, dit M. Carmichael. Comment un homme en proie à une fièvre cérébrale pourrait-il juger sainement ?

M. Carrisford secoua la tête.

— Quand j'ai retrouvé ma pleine conscience, ce malheureux Crewe était mort et enterré. Moi, je ne me souvenais de rien. Je ne me suis pas souvenu de l'enfant avant des mois et des mois ! Et quand j'ai commencé à me la rappeler, c'était encore dans une espèce de brouillard.

Il s'interrompit un moment pour se frotter le front.

— C'est encore ainsi quand je tente de m'en souvenir. J'ai sûrement entendu Crewe parler une fois ou l'autre de l'école où il l'avait envoyée, vous ne croyez pas ?

— Il peut ne pas en avoir parlé de façon précise. Il ne semble pas que vous ayez jamais entendu le vrai nom de la petite.

— Il la désignait par un surnom affectueux qu'il lui avait donné. Il l'appelait « petite dame ». Mais ces maudites mines nous ont ôté de la tête toutes les autres préoccupations. Nous ne parlions de rien d'autre. Et s'il a parlé de la pension, j'ai oublié ! Et je ne m'en souviendrai plus jamais à présent.

— Allons, allons ! dit Carmichael, nous la retrouverons. Nous continuerons de chercher les Russes généreux de Mme Pascal. Elle a semblé croire qu'ils habitaient Moscou. J'irai à Moscou !

— Si j'étais en état de voyager, dit Carrisford, j'irais avec vous. Mais je suis tout juste bon à rester assis ici, enveloppé dans des fourrures, à regarder le feu. Et, quand je le regarde, je crois y voir le gai visage de Crewe qui me regarde aussi. J'ai l'impression qu'il me pose une question. Parfois je rêve de lui, la nuit, il se tient devant moi et me pose la même question mais cette fois avec des mots. Savez-vous quelle est la question, Carmichael ?

M. Carmichael lui répondit à voix plutôt basse.

— Pas exactement, non, dit-il.

— Il dit toujours : « Tom, mon vieil ami Tom, où est la petite dame ? »

Il prit la main de Carmichael et la serra.

— Je dois pouvoir lui répondre ! Il le faut ! dit-il. Aidez-moi à la retrouver. Aidez-moi !

De l'autre côté du mur, Sarah était assise dans la mansarde en train de parler à Melchisédech qui était venu dîner.

— Aujourd'hui, cela a été dur d'être une princesse, mon vieux Melchisédech, dit-elle. Plus dur que d'habitude ! Cela devient plus difficile à mesure que le temps se refroidit et que les rues deviennent boueuses. Quand Lavinia a ri de ma robe tachée au moment où je suis passée près d'elle dans le hall, j'ai cherché quelque chose à répondre du tac au tac et je me suis retenue à la dernière minute. On ne peut pas se montrer méprisant avec les gens quand on est une princesse. Mais il faut se mordre la langue pour se contenir. Je me la suis mordue. C'était une après-midi froide, Melchisédech. Et c'est une nuit froide.

Brusquement elle posa sa tête sur les bras,

comme elle le faisait souvent quand elle était seule.

— Oh ! papa ! murmura-t-elle, il me semble qu'il est si loin le temps où j'étais ta petite dame !

Voilà ce qu'il arriva ce jour-là d'un côté et de l'autre du mur.

13

Une gamine du peuple

Ce fut un rude hiver. Il y eut des jours où Sarah dut piétiner dans la neige pour aller faire les courses. Il y eut des jours pires encore où la neige fondit et se mêla à la boue pour former une horrible bouillasse. Il y en eut où le brouillard fut si épais que les réverbères restèrent allumés toute la journée et que Londres eut cet aspect qu'il avait, des années plus tôt, quand le fiacre avait parcouru les rues avec Sarah pelotonnée sur le siège, appuyée contre l'épaule de son père. Des journées pareilles, les fenêtres de la Grande Famille paraissaient délicieusement douillettes et engageantes tandis que le bureau où se tenait le monsieur indien brillait de couleurs riches et chaudes. Mais la mansarde était abominable, au-delà de toute description. Il n'y avait plus de crépuscules ni d'aubes à contempler, à peine quelques rares étoiles semblait-il à Sarah. Les nuages bas barraient la lumière venant du ciel ; ils étaient gris, couleur de boue ou déversaient de la pluie à flots. À quatre heures de l'après-midi, même s'il n'y avait pas de brouillard, la lumière du jour disparaissait. Si Sarah devait se rendre à la mansarde pour une raison ou une autre, elle devait allumer une bougie. Les femmes, à la cuisine, étaient déprimées, ce qui rendait leur humeur pire que jamais. Becky était traitée comme une petite esclave.

— Si ça serait pas pour vous, mamoiselle, dit-elle d'une voix rauque à Sarah un soir qu'elle avait grimpé dans sa mansarde, si ça serait pas pour vous et pour la Bastille et être prisonnière dans la cellule d'à côté, ben moi je mourirais. Ça semble être bien réel maintenant, n'est-ce pas : chaque jour qui passe, mâme la directrice ressemble un peu plus à un chef geôlier. Je peux voir le gros trousseau de clefs que vous dites qu'elle transporte. La cuisinière, elle est comme une geôlière en second. Dites-moi plus, s'il vous plaît, mamoiselle, sur le souterrain qu'on a creusé par-dessous des murailles.

— Je te raconterai quelque chose de plus réchauffant, répondit Sarah en frissonnant. Prends ton couvre-lit et enroule-toi dedans. Je prendrai le mien et nous nous serrerons sur le lit. Je te raconterai la forêt tropicale où vivait le singe du monsieur indien. Quand je le vois sur la table, près de la fenêtre, en train de regarder la rue avec une expression désespérée, je suis sûre qu'il pense à la forêt où il se balançait suspendu par la queue aux cocotiers. Je me demande qui l'a attrapé et s'il a laissé derrière lui toute une famille qui dépendait de lui pour le ravitaillement en noix de coco.

— C'est plus chaud, c'est vrai, mamoiselle. Mais d'une certaine façon, même la Bastille, ça réchauffe quand c'est vous qui la racontez.

— C'est parce que ça te fait penser à autre chose, dit Sarah en s'enroulant dans son couvre-lit. Je l'ai remarqué, ce qu'il faut faire quand le corps souffre, c'est penser à autre chose.

— Vous pouvez le faire, mamoiselle ? balbutia Becky en la regardant avec admiration.

Sarah fronça les sourcils un moment.

— Parfois je peux et parfois, non, dit-elle. Mais quand je peux, je vais bien. Et je crois que c'est toujours possible à condition d'être entraîné. Je me suis bien entraînée récemment et cela devient plus facile qu'avant. Quand les choses deviennent horribles, vraiment horribles, je pense aussi fort que je peux à être une princesse. Je me dis à moi-même : « Je suis une princesse, je suis une fée et du moment que je suis une fée, rien ne peut m'atteindre ni me blesser. » Tu n'imagines pas combien cela aide à oublier.

Elle avait très souvent l'occasion d'inciter son esprit à penser à autre chose et de vérifier si elle était une princesse ou non. Mais le test le plus probant eut lieu par une journée de cauchemar dont elle se dit ensuite qu'elle ne s'effacerait jamais de sa mémoire, même après des années et des années.

Il avait plu pendant plusieurs jours sans discontinuer. Les rues étaient glaciales, boueuses, pleines de brume froide. Londres était gluant de fange ; bruine et brouillard y régnaient en maîtres. Bien sûr, il y eut plusieurs courses longues et fatigantes à faire – il y en avait toujours les jours comme ceux-là, et Sarah fut envoyée plusieurs fois dehors, jusqu'à ce que ses pauvres vêtements élimés soient trempés. Les absurdes vieilles plumes de son chapeau défraîchi étaient plus déglinguées et absurdes que jamais et ses vieilles chaussures étaient tellement imbibées d'eau qu'elles ne pouvaient pas en absorber davantage. En plus, elle avait été privée de dîner parce que Miss Minchin avait décidé de la punir. Elle avait si faim et froid, elle était tellement épuisée qu'elle avait les traits tirés et qu'en la croisant, les gens avaient une lueur soudaine de sympathie dans le regard. Elle ne le remarquait pas. Elle se hâtait tout en se forçant à penser à autre chose, ce qui était tout à fait nécessaire. Elle avait l'habitude de faire semblant, d'imaginer, mais là, c'était plus dur que jamais et cela faillit bien la faire se sentir encore plus affamée et grelottante. Elle s'obstina cependant, et tandis que la boue s'infiltrait insidieusement dans ses chaussures cassées, que le vent faisait tous ses efforts pour essayer de la dépouiller de son manteau, elle se parla à elle-même en marchant, mais sans prononcer un mot à voix haute ni bouger les lèvres.

« Imaginons que j'ai des vêtements secs, songeait-elle, de bonnes chaussures, un épais manteau long, des bas en mérinos et un solide parapluie. Et supposons qu'en passant près d'une boulangerie où on vend des petits pains aux raisins tout chauds, je trouve une pièce de six pence qui n'appartienne à personne. Supposons que j'entre dans la boulangerie, que j'achète six petits pains aux raisins, les plus chauds, et que je les mange tous à la file... »

Dans ce monde, il se produit parfois des choses étranges.

Et ce fut certainement quelque chose d'étrange qui arriva à Sarah. Il lui fallait traverser la rue à ce moment-là. La boue était si abondante qu'elle dut choisir où passer avec attention. Tout le mal qu'elle se donna ne servit pourtant pas à grand-chose. Seulement, elle dut regarder plus attentivement où elle posait les pieds et, juste au moment où elle arrivait près du trottoir, elle aperçut quelque chose de brillant dans le caniveau. C'était une pièce d'argent, une petite pièce qui avait été piétinée par bien des passants mais à qui il restait un peu de courage pour briller encore. Ce n'était pas une pièce de six pence mais ce qu'il y avait de plus approchant : quatre pence.

Une seconde plus tard, elle était dans la petite main bleuie par le froid.

— Oh ! pantela-t-elle, c'est vrai ! C'est vrai !

Et alors, elle leva les yeux sur la boutique qui était juste devant elle. C'était une boulangerie. Une femme avenante d'allure maternelle installait dans la vitrine toute une fournée de petits pains juste sortis du four, brillants et croustillants à souhait, avec quantité de raisins secs sur le dessus.

L'émotion jointe à la vue des petits pains et à l'odeur délicieuse de pain chaud qui montait par le soupirail du fournil manqua faire défaillir

Sarah. Elle savait qu'elle ne devait pas hésiter à utiliser la pièce. Elle était restée dans la boue un certain temps et son légitime propriétaire avait disparu depuis longtemps dans le flot des passants.

« Je vais demander à la boulangère si elle ne l'a pas perdue », se dit-elle doucement.

Elle traversa le trottoir et, au moment où elle mettait le pied sur la marche du magasin, ce qu'elle vit l'arrêta.

C'était un pauvre petit personnage encore plus délabré qu'elle, qui n'était plus guère qu'un paquet de haillons dont dépassaient de petits pieds boueux et rouges parce que les chiffons dont leur propriétaire essayait de les couvrir n'étaient pas assez longs. Au-dessus des haillons apparaissaient une tête pitoyable aux cheveux emmêlés et un visage sale aux yeux creusés et agrandis par la faim.

Au moment où elle les vit, Sarah sut que c'étaient des yeux affamés et ressentit une bouffée de sympathie.

« Voici, se dit-elle avec un petit soupir, quelqu'un du peuple qui a encore plus faim que moi. »

La fillette qui était ce « quelqu'un du peuple » leva les yeux sur Sarah et se poussa un peu sur le côté afin de lui laisser plus de place pour passer. Elle était habituée à ce qu'on la force à faire de la place à tout le monde. Et elle savait que, si un policier la voyait, il lui dirait de circuler.

Sarah serra la petite pièce dans sa main et hésita quelques secondes. Puis elle s'adressa à la fillette.

— Est-ce que tu as faim ?

La fillette et les haillons qui l'enveloppaient se poussèrent encore un peu plus.

— J'ai qu'ça ! dit-elle d'une voix rauque. J'ai qu'ça : faim !

— Tu n'as pas déjeuné ? demanda Sarah.

— Y a pas eu de déjeuner, répondit la fillette en se poussant encore. Ni de p'tit déjeuner ni de dîner ! Rien de rien !

— Depuis quand ? demanda Sarah.

— Ça, chais pas. J'ai rien eu aujourd'hui, nulle part. J'ai d'mandé et re-d'mandé mais rien !

À simplement la regarder, Sarah se sentait encore plus affamée et plus fatiguée. Mais son cerveau était en marche et elle se parlait à elle-même bien qu'elle eût le cœur chaviré.

« Si j'étais une princesse... se disait-elle. Même renversées de leur trône les princesses partagent avec les gens du peuple qu'elles rencontrent et qui sont plus pauvres et plus affamés qu'elles. Les petits pains coûtent un penny chacun. Si j'avais eu six pence, j'en aurais mangé six. Ce que j'ai ne suffira pour aucune des deux mais ce sera toujours mieux que rien. »

— Attends une minute, dit-elle à la petite mendiante.

Elle entra dans la boulangerie. Il y faisait chaud et l'odeur était merveilleuse. La boulangère installait d'autres petits pains dans la vitrine.

— S'il vous plaît, avez-vous perdu une pièce de quatre pence en argent ? demanda Sarah en la lui tendant.

La boulangère regarda d'abord la pièce puis le petit visage expressif et les vêtements dépenaillés mais qui avaient été luxueux autrefois.

— Dieu merci, non ! dit-elle. Tu l'as trouvée ?

— Oui, dit Sarah, dans le caniveau.

— Alors, tu peux la garder. Elle est peut-être là depuis des semaines et Dieu seul sait qui l'a perdue. On ne le retrouvera jamais.

— Je le sais, dit Sarah, mais je voulais d'abord vous le demander.

— Peu l'auraient fait à ta place, dit la femme qui semblait tout à la fois surprise, impressionnée et bien disposée. Tu veux acheter quelque chose ? ajouta-t-elle en voyant le regard que Sarah lançait aux petits pains.

— Quatre petits pains aux raisins, s'il vous plaît. Ceux à un penny chacun.

La boulangère les prit dans la vitrine et les mit dans un sac en papier. Sarah vit qu'elle y en mettait six.

— J'en veux quatre, dit-elle. J'ai seulement quatre pence.

— J'en ai mis deux par-dessus le marché pour faire bon poids, dit la boulangère avec un sourire bienveillant. Je pense que tu pourras les manger. Tu n'aurais pas faim par hasard ?

Un brouillard se forma devant les yeux de Sarah.

— Si, dit-elle, j'ai faim, et je vous suis très reconnaissante de votre gentillesse.

Elle allait ajouter :

— Il y a dehors une fille qui a encore plus faim que moi.

Mais à ce moment-là, deux ou trois clients entrèrent ; ils semblaient être pressés de sorte que Sarah put seulement remercier la boulangère une nouvelle fois et sortir.

La petite mendiante était recroquevillée dans l'angle de la devanture. Elle faisait peur à voir dans ses loques crasseuses et mouillées. Elle regardait droit devant elle avec un air hébété à force de souffrance. Sarah la vit passer le dos d'une petite main noire sur ses yeux pour écraser une larme qui s'était frayé un chemin par surprise sous les cils. Elle ouvrit le sac en papier et en tira un des petits pains qui lui avaient déjà un peu réchauffé les mains.

— Tiens ! dit-elle en le posant sur les genoux de la mendiante, c'est chaud et c'est bon. Mange, tu auras un peu moins faim.

La fillette sursauta et la regarda fixement comme si ce soudain coup de chance l'effrayait. Puis elle saisit le petit pain et se mit à le dévorer à grosses bouchées.

— Ho ! ça alors ! Ça alors ! dit-elle en proie au ravissement.

Sarah prit deux autres petits pains et les lui donna. La voix enrouée de la mendiante était terrible à entendre.

« Elle a beaucoup plus faim que moi », se dit Sarah. Sa main toutefois trembla un petit peu quand elle posa le quatrième petit pain sur les genoux de la fille. « Je ne meurs pas de faim, moi ! » se dit-elle quand elle posa le cinquième.

La petite mendiante affamée était encore en train de mordre et d'avaler quand Sarah tourna les talons. Elle était trop affamée pour la remercier, à supposer qu'on lui ait appris la politesse, ce qui n'était pas le cas. Elle n'était rien qu'un pauvre petit animal sauvage.

— Au revoir ! dit Sarah.

Quand elle fut de l'autre côté de la rue, elle se retourna. L'enfant tenait un petit pain à chaque main et s'était arrêtée au milieu d'une bouchée pour la considérer. Sarah fit un signe de tête et la gamine, après un autre long regard fixe, hocha brusquement la tête en réponse. Puis, tout le temps que Sarah fut encore en vue, elle ne prit pas de nouvelle bouchée et ne finit même pas ce qu'elle avait dans la bouche.

À ce moment, la boulangère regarda dehors.

— Pas croyable ! s'exclama-t-elle. Cette petite a donné ses petits pains à une mendiante ! Ce n'est pourtant pas qu'elle n'en avait pas envie, ça non ! Elle semblait avoir vraiment faim ! Je voudrais bien savoir pourquoi elle a fait ça !

Elle resta un moment derrière sa vitrine à hésiter. Puis sa curiosité prit le dessus. Elle sortit parler à la mendiante.

— Qui t'a donné les petits pains, lui demanda-t-elle.

D'un signe de la tête, la gosse désigna la silhouette de Sarah qui disparaissait au loin.

— Qu'a-t-elle dit ?

— M'a demandé si j'ai faim, dit la voix rauque.

— Et tu as répondu quoi ?

— Que j'avais plus que faim !

— Alors elle est entrée, elle a acheté les petits pains et t'en a donné, c'est bien ça ?

La mendiante fit oui de la tête.

— Combien ?

— Cinq.

La boulangère réfléchit.

— Elle n'en a gardé qu'un pour elle, dit-elle à voix basse. Pourtant elle était capable d'avaler les six, je l'ai vu dans ses yeux !

Elle suivit du regard la petite silhouette boueuse qui s'en allait et se sentit troublée. Ce n'était pas habituel chez elle, qui était d'un tempérament heureux.

— J'aurais aimé qu'elle ne parte pas aussi vite, dit-elle. Le Ciel m'est témoin qu'elle en aurait eu une douzaine.

Puis elle se pencha sur la petite mendiante.

— As-tu encore faim ? demanda-t-elle.

— J'ai tout le temps faim, fut la réponse. Mais maintenant c'est moins pire qu'avant.

— Entre là, dit la boulangère en ouvrant la porte de sa boutique.

La gamine se leva et se glissa dedans. D'être invitée à entrer dans un endroit chaud et plein de pain lui semblait une chose incroyable. Elle ne savait pas ce qu'il allait se passer. Elle ne s'en souciait même pas.

— Réchauffe-toi, dit la boulangère en lui montrant un poêle qui brûlait dans la petite arrière-boutique. Et tu sais, si tu es en peine d'un morceau de pain, tu peux toujours venir m'en demander un. Le Ciel m'est témoin que je te le donnerai en souvenir de cette petite.

Sarah trouva un certain réconfort dans le petit pain qui lui restait. Il était tout chaud et c'était mieux que rien. Tout en marchant, elle en fit de minuscules miettes qu'elle mangea très lentement, pour le faire durer.

« Supposons qu'il s'agisse d'un petit pain magique, se dit-elle, et que chaque bouchée soit un dîner entier. J'aurais une indigestion dans ce cas. »

Il faisait sombre quand elle arriva sur la petite place où se trouvait la pension sélecte. Dans toutes les maisons, les lumières étaient allumées. Les rideaux de la pièce où, souvent, elle apercevait les membres de la Grande Famille n'étaient pas encore tirés. Fréquemment, à cette heure-là, elle pouvait voir le monsieur qu'elle appelait M. Montmorency assis dans un grand fauteuil avec, tout autour, un petit essaim qui parlait, qui riait, qui se perchait sur les bras du siège ou s'asseyait sur ses genoux pour se pelotonner contre lui. Ce soir-là, le petit essaim était là mais lui n'était pas assis. Il y avait au contraire beaucoup d'agitation. Il était évident que quelqu'un partait en voyage et ce quelqu'un c'était M. Montmorency. Un fiacre stationnait devant la porte et une grosse malle-cabine était attachée sur le porte-bagages. Les enfants dansaient autour de leur père en bavardant et se pendaient à lui. La mère, toujours rose et jolie, se tenait près de lui et semblait lui poser quelques ultimes questions.

Sarah s'arrêta un moment pour regarder les petits qu'on soulevait pour les embrasser et les plus grands, sur qui on se penchait, pour les embrasser aussi.

« Je me demande s'il va rester loin pendant longtemps, se dit-elle. La malle est plutôt grosse. Mon Dieu ! comme il va leur manquer ! Il me manquera aussi, bien qu'il ne sache pas que j'existe ! »

Quand la porte s'ouvrit, elle s'éloigna, se rappelant l'épisode de la pièce de six pence, mais elle vit le voyageur sortir et se détacher un moment sur la porte du hall brillamment illuminé, avec les plus grands des enfants qui s'agitaient encore autour de lui.

— Est-ce que Moscou sera sous la neige ? demanda Jeannette. Y aura-t-il de la glace partout ?

— Irez-vous en traîneau ? demanda une autre. Verrez-vous le tsar ?

— Je vous écrirai pour vous le raconter, répondit-il en riant. Et je vous enverrai des images de moujiks et tout et tout. Rentrez vite dans la maison. C'est une nuit épouvantable. J'aimerais mieux rester avec vous plutôt que d'aller à Moscou. Bonne nuit ! Bonne nuit, mes canetons ! Dieu vous garde !

Il dévala le perron en courant et sauta dans le fiacre.

— Si vous trouvez la petite fille, transmettez-lui notre amitié ! lança Guy Clarence qui gambadait sur le paillasson.

Puis ils rentrèrent tous et fermèrent la porte.

— Tu as vu, dit Jeannette à Nora, alors qu'elles regagnaient le salon, la petite-fille-qui-n'est-pas-une-mendiante est passée. D'après maman, on dirait que ses vêtements lui viennent de quelqu'un de riche qui les lui a donnés seulement parce qu'ils étaient trop usés pour continuer à être portés. Ces gens de l'école l'envoient toujours faire des courses les jours et les soirs les plus horribles qui soient.

Sarah traversait la place vers l'escalier menant chez Miss Minchin et se sentait faible et grelottante.

« Je me demande qui peut bien être cette petite fille, pensa-t-elle, pour qu'il parte ainsi la chercher. »

Elle descendit les marches avec le panier qu'elle trouvait décidément bien lourd tandis que le père de la Grande Famille se mettait en route vers la gare pour prendre le train qui le conduirait à Moscou où il ferait tous les efforts possibles pour retrouver la petite fille du capitaine Crewe qui était perdue.

14

Ce que Melchisédech vit et entendit

Cette même après-midi, tandis que Sarah était sortie, il se passa quelque chose d'étrange dans la mansarde [illegible], Melchisédech le vit et l'entendit. Il fut si inquiet et si surpris qu'il se retira dans son trou et y demeura caché et il trembla et frissonna [illegible] pour voir ce qui arrivait.

[illegible]

14

Ce que Melchisédech vit et entendit

Cette même après-midi, tandis que Sarah était sortie, il se passa quelque chose d'étrange dans la mansarde. Seul, Melchisédech le vit et l'entendit. Il fut si inquiet et si surpris qu'il se retira dans son trou et y demeura caché, et il trembla et frissonna chaque fois qu'il mit le bout du museau dehors pour voir ce qui arrivait.

La mansarde avait été paisible tout le jour après que Sarah l'avait quittée de bon matin. Le silence avait été troublé seulement par le tintement de la pluie sur les ardoises et sur la lucarne. En fait,

Melchisédech s'était un peu ennuyé et, quand la pluie avait cessé et qu'un silence absolu l'avait remplacée, il avait décidé de sortir en reconnaissance bien que l'expérience lui dît que Sarah ne serait pas de retour avant un bon moment. Il avait traîné de-ci de-là en reniflant avant de tomber sur une croûte de pain inattendue qui restait d'un précédent repas quand son attention fut attirée par un bruit. Il s'immobilisa pour écouter, le cœur battant. Il semblait que quelque chose se déplaçait sur le toit. Cela approchait de la lucarne, arrivait à la lucarne. La lucarne s'ouvrit mystérieusement. Un visage foncé regarda dans la mansarde. Un autre visage apparut derrière lui et les deux regardèrent à l'intérieur avec un mélange de prudence et d'intérêt. Deux hommes se préparaient à entrer par la lucarne. L'un n'était autre que Ram Dass, l'autre, un jeune homme qui était le secrétaire du monsieur indien. Bien sûr, Melchisédech l'ignorait. Il vit seulement que deux hommes envahissaient la mansarde jusqu'alors vide et silencieuse. Et quand le premier se laissa tomber au sol avec tant de souplesse et de légèreté qu'il ne fit pas le moindre bruit, Melchisédech prit sa queue à son cou et se précipita dans son trou. Il était mort de peur. Bien sûr, il s'était habitué à Sarah dont il savait qu'elle ne lui lancerait jamais rien que des miettes de pain. Mais les hommes étrangers demeuraient dangereux et mieux valait ne pas rester à portée. Il se blottit près de l'entrée de son refuge, en sorte de pouvoir regarder de son œil rond ce qu'il se passait dehors. Quant à ce qu'il comprit de ce qu'il entendit, je ne suis pas en mesure de le dire. Mais il est certain que, même s'il parvint à tout comprendre, il n'en demeura pas moins tout à fait perplexe.

Le secrétaire, qui était blond et jeune, descendit par la lucarne en ne faisant pas plus de bruit que Ram Dass. Il vit la queue de Melchisédech disparaître dans le mur.

— C'était un rat ? demanda-t-il à Ram Dass dans un murmure.

— Oui, un rat, sahib, répondit Ram Dass de la même façon. Il y en a beaucoup dans les murs.

— Berk ! C'est étonnant que la petite ne soit pas terrifiée.

Ram Dass fit un geste avec les mains. Et il sourit respectueusement. Il était là en intime de Sarah bien qu'il ne lui ait parlé qu'une seule fois.

— Cette enfant est l'amie de toutes les créatures, sahib, répondit-il. Elle n'est pas comme les autres enfants. Je la vois alors qu'elle ne me voit pas. Je la regarde depuis ma fenêtre quand elle ne sait pas que je suis à côté. Elle monte sur la table et regarde le ciel comme s'il lui parlait. Les moineaux viennent quand elle les appelle. Le rat, elle le nourrit et l'a apprivoisé. La pauvre esclave de la maison vient auprès d'elle chercher du réconfort. Il y a une petite fille qui vient en secret. Il y en a une plus grande qui l'adore et qui pourrait rester à l'écouter pour l'éternité. Cela je l'ai vu en grimpant sur le toit. Par la directrice de la pension qui est une mauvaise femme, elle est traitée comme une paria. Mais elle a la conduite d'une enfant de sang royal !

— Vous semblez en savoir très long sur son compte, dit le secrétaire.

— Toute sa vie jour après jour, je la connais, répondit Ram Dass. Quand elle sort, je le sais, et quand elle rentre. Ses moments de tristesse et ses pauvres joies. Qu'elle a froid et faim, je le sais, et aussi quand elle reste debout jusqu'à minuit, à apprendre toute seule dans les livres. Je sais quand ses amies viennent la voir en secret et qu'elle est plus heureuse que peuvent l'être les enfants parce qu'elle rit et parle avec elles en chuchotant. Si elle tombait malade, je le saurais, et je viendrais m'occuper d'elle, si toutefois c'était possible.

— Vous êtes bien sûr qu'elle est seule à venir ici et qu'elle ne va pas revenir et nous surprendre ? Elle serait effrayée de nous voir et le plan du sahib Carrisford échouerait.

Ram Dass s'approcha silencieusement de la porte.

— Personne ne monte ici à part elle, sahib, dit-il. Elle est partie avec son panier et peut rester absente des heures. D'ici, je peux entendre le bruit des pas avant qu'ils atteignent la dernière volée de marches.

Le secrétaire tira un crayon et un bloc-notes de sa poche de poitrine.

— Gardez les oreilles bien ouvertes.

Et il commença à se déplacer doucement dans la misérable petite chambre en prenant de rapides notes à mesure qu'il observait les choses.

Il s'approcha d'abord du lit. Il tâta le matelas de la main et poussa une exclamation :

— Dur comme la pierre ! dit-il. Il faudra changer ça un de ces jours, pendant qu'elle sera sortie. Il faudra faire un voyage spécial pour le porter. Ce qui n'est pas possible aujourd'hui.

Il souleva le couvre-lit et examina l'unique oreiller si mince.

— Couvre-lit défraîchi et usé, couverture trop fine, draps tachés et usés, dit-il. Quel lit où faire dormir une enfant dans une maison qui se prétend respectable ! Il n'y a pas eu de feu dans ce foyer depuis des jours et des jours !

— Jamais depuis que je connais l'endroit, dit

Ram Dass. La maîtresse de maison n'est pas du genre à se rappeler que d'autres qu'elle-même peuvent avoir froid.

Le secrétaire écrivait rapidement sur son bloc. Il leva les yeux tout en détachant une feuille qu'il rangea dans sa poche.

— C'est une étrange façon de procéder, dit-il. Qui en a eu l'idée ?

Ram Dass fit un petit salut de la tête, comme pour s'excuser.

— Il est vrai que l'idée a d'abord été la mienne, dit-il, mais ce n'était rien d'autre qu'une idée. J'aime beaucoup cette petite : nous sommes tous les deux esseulés. C'est surtout sa façon de raconter ses visions à ses amies. Une nuit que j'étais triste, j'étais près de la lucarne qui était ouverte et j'ai entendu. Elle racontait à quoi cette mansarde misérable pourrait ressembler s'il y avait un peu de confort. On aurait dit qu'elle voyait ce dont elle parlait et, à mesure, elle devenait plus joyeuse. Le lendemain, le maître n'allait pas bien. Je lui ai tout raconté, pour le distraire. Cela ressemblait à un rêve mais cela a fait plaisir au maître. D'entendre les paroles et les rêves de l'enfant, cela l'a distrait. Il s'est intéressé à elle et m'a posé des questions. Finalement, l'idée de rendre réelles ses visions s'est mise à beaucoup lui plaire.

— Vous pensez que cela peut se faire pendant qu'elle dort ? Supposez qu'elle se réveille..., suggéra le secrétaire.

Il était évident que, quel qu'il soit, le plan le séduisait lui aussi, autant que le sahib Carrisford.

— Je peux marcher comme si mes pieds étaient en velours, répondit Ram Dass, et les enfants dorment profondément, même ceux qui sont malheureux. J'aurais pu pénétrer ici de nuit plusieurs fois sans même la faire se tourner sur son oreiller. Si les autres me passent les choses par la fenêtre de toit, je peux tout faire sans la déranger. Quand elle s'éveillera, elle pensera qu'un magicien est passé par là.

Il sourit comme si son cœur était brûlant sous sa robe blanche et le secrétaire lui rendit son sourire.

— Ce sera une histoire digne des Mille et Une Nuits, dit-il. Seul un Oriental pouvait l'imaginer. Elle n'est pas du domaine des brouillards de Londres.

Ils ne restèrent pas très longtemps, au grand soulagement de Melchisédech qui, comme il ne comprit probablement pas leur conversation, crut que leur venue et leur conversation ne présageaient rien de bon. Le jeune secrétaire s'intéressait à tout. Il écrivit des choses concernant le sol, le foyer, le repose-pieds élimé, la vieille table, les murs, qu'il toucha de la main à de nombreuses reprises avant de sembler satisfait de constater qu'il y avait des clous enfoncés en plusieurs endroits.

— On peut y accrocher des choses, dit-il.

Ram Dass sourit d'un air mystérieux.

— Hier, alors qu'elle était dehors, dit-il, je suis entré en apportant de petits clous qu'on peut enfoncer dans les murs sans avoir besoin d'un marteau. J'en ai planté dans le plâtre partout où je pourrai en avoir besoin. Ils sont prêts !

Le secrétaire du monsieur indien regarda autour de lui tout en replaçant le bloc dans sa poche.

— Je crois que j'ai pris assez de notes, dit-il, nous pouvons y aller. Le sahib Carrisford a bon cœur. C'est mille fois dommage qu'il n'ait pas retrouvé cette petite qui est perdue !

— S'il la retrouvait, ses forces lui reviendraient, dit Ram Dass. Son Dieu peut encore la guider vers lui !

Ils sortirent alors par la lucarne aussi silencieusement qu'ils étaient entrés. Quand il fut bien sûr qu'ils étaient partis, Melchisédech se sentit grandement soulagé. Au bout de quelques minutes, il jugea qu'il pouvait ressortir de sa cachette sans prendre de risques pour aller vérifier si par hasard, tout inquiétants qu'ils étaient, ces êtres humains-là ne transportaient pas quelques miettes dans les poches et n'en avaient pas laissé une ou deux derrière eux.

15

La magie

En passant devant la maison voisine, Sarah avait vu Ram Dass qui fermait les volets et elle avait eu le temps de jeter un coup d'œil à l'intérieur.

« Il y a longtemps que je n'ai pas vu un endroit aussi agréable de l'intérieur », fut la pensée qui lui vint à l'esprit.

Il y avait le feu habituel dans le foyer et le monsieur indien était assis devant. Il avait la tête dans les mains et semblait aussi seul et triste qu'à l'ordinaire.

« Je me demande à quoi il pense », songea Sarah.

En fait, à ce moment précis, voici ce à quoi il pensait : « Supposons que Carmichael retrouve la petite fille que les Russes ont adoptée et que ce ne soit pas celle que je cherche. Que pourrais-je faire ensuite ? »

Quand Sarah rentra, Miss Minchin remontait de la cuisine où elle était descendue réprimander la cuisinière.

— Où es-tu encore allée perdre ton temps, demanda-t-elle. Tu es restée dehors des heures durant !

— Il y a tellement de boue qu'il est difficile de marcher, répondit Sarah. Mes chaussures sont mauvaises et je glisse.

— Ne cherche pas d'excuses ! répliqua Miss Minchin, et ne raconte pas de mensonges !

Sarah rejoignit la cuisinière. Comme elle avait reçu une très sévère remontrance, cette dernière était d'une humeur épouvantable. Elle fut contente d'avoir quelqu'un sur qui laisser éclater sa colère.

— Pourquoi tu n'y as pas passé la nuit, tant que tu y étais ? aboya-t-elle.

Sarah posa les achats sur la table.

— Voilà les courses, dit-elle simplement.

La cuisinière les regarda en grommelant.

— Puis-je avoir quelque chose à manger, demanda doucement Sarah.

— L'heure du repas est passée, répondit-elle. Tu t'attendais à ce que je garde quelque chose au chaud ?

Sarah resta silencieuse un moment.

— C'est que je n'ai pas eu de déjeuner, non plus !

— Il y a du pain à l'office. À cette heure-ci, c'est tout ce que tu auras pour dîner !

Sarah dénicha le pain. Il était vieux, sec et dur. Vu l'humeur exécrable de la cuisinière, il n'y aurait rien d'autre.

Sarah trouva pénible d'escalader les trois étages jusqu'à sa mansarde. Quand elle était fatiguée, elle trouvait l'escalier raide et interminable mais ce soir-là, elle pensa ne jamais en venir à bout. Elle dut faire plusieurs pauses. En arrivant en haut, elle fut heureuse de voir de la lumière sous la porte. Cela signifiait qu'Ermengarde avait pu s'échapper pour lui rendre visite. C'était mieux que de se retrouver seule dans la chambre glaciale et sinistre. La présence d'Ermengarde drapée dans son châle rouge la réconforterait un peu.

Ermengarde était bien là, assise sur le lit avec les pieds cachés sous le châle, comme à son habitude. Elle n'était jamais devenue très intime avec Melchisédech et sa famille, et continuait d'avoir un peu peur quand il pointait le museau hors de son trou.

— Oh ! Sarah ! enfin te voilà ! Melchy est venu renifler un peu partout. J'ai essayé de le convaincre gentiment de rentrer chez lui mais il a fallu beaucoup de temps avant qu'il se décide. Tu ne penses pas qu'il risque de sauter ?

— Non, répondit Sarah.

Ermengarde se pencha et la regarda.

— Tu sembles fatiguée, Sarah, dit-elle. Tu es toute pâle !

— Je suis fatiguée, dit Sarah en se laissant tomber sur le repose-pieds. Tiens voici Melchisédech ! Le pauvre ! Il vient chercher son dîner !

Ce dernier était sorti de son trou dès qu'il avait entendu les pas de Sarah. Il les reconnaissait, Sarah en était sûre. Il vint à elle plein d'espoir, avec une expression affectueuse mais Sarah retourna ses poches pour montrer qu'elles étaient vides.

— Je suis vraiment désolée, dit-elle, mais je n'ai même pas un croûton. Rentre, Melchisédech, et dis à ta femme qu'il n'y avait rien dans mes poches. Je n'ai rien pris parce que la cuisinière et Miss Minchin étaient de trop méchante humeur !

Melchisédech sembla comprendre. Il renifla d'un air résigné, à défaut d'être content, et rentra chez lui.

— Je ne m'attendais pas à te voir ce soir, Ermie, dit Sarah.

Ermengarde tira sur les bords de son châle pour mieux s'y envelopper.

— Miss Amélie est allée passer la nuit chez une vieille tante, expliqua-t-elle. Personne d'autre ne passe dans les chambres quand nous sommes couchées. Je pourrais rester jusqu'à demain matin, si je voulais.

Elle montra la table sous la lucarne. Sarah n'avait pas encore regardé de ce côté-là. Il y avait des livres empilés dessus. Le geste d'Ermengarde traduisait de l'abattement.

— Papa m'a encore envoyé des livres, dit-elle. Ils sont là !

Sarah regarda et se leva aussitôt. Elle courut à la table, prit le premier, en tourna les pages rapidement. D'un seul coup, toutes ses misères furent bien loin !

— Oh ! s'exclama-t-elle. Quelle chance ! *La Révolution française* de Carlyle ! J'avais tellement envie de le lire !

— Je ne l'ai pas lu, dit Ermengarde. Et papa sera fâché si je ne le lis pas. Il s'attend à ce que je le connaisse sur le bout des doigts quand je rentrerai à la maison pour les vacances. Qu'est-ce que je vais faire ?

Sarah arrêta de tourner les pages pour la regarder, les joues rouges d'enthousiasme.

— Écoute, dit-elle, si tu me les prêtes, je les

lirai puis je te raconterai ce qu'il y a dedans. Et je te le raconterai de façon à ce que tu t'en souviennes !

— Mon Dieu ! s'écria Ermengarde. Tu crois que tu pourras ?

— Bien sûr ! dit Sarah. Les petites se souviennent toujours de ce que je leur raconte.

— Sarah, dit Ermengarde tandis que l'espoir illuminait son visage rond, si tu fais ça et qu'ensuite je m'en souvienne, je te donnerai ce que tu voudras !

— Je ne veux pas que tu me donnes quoi que ce soit, dit Sarah. Je veux lire tes livres, vraiment !

— Alors, prends-les ! dit Ermengarde. J'aimerais avoir envie de les lire mais ce n'est pas le cas. Je ne suis pas intelligente malgré papa, qui aimerait que je le sois.

Sarah ouvrait les livres l'un après l'autre.

— Que vas-tu dire à ton père, demanda-t-elle comme si une espèce de doute lui venait à l'esprit.

— Oh ! ce n'est pas la peine de le lui dire, répondit Ermengarde. Il pensera que je les ai lus.

Sarah posa son livre et secoua doucement la tête.

— C'est presque comme mentir, dit-elle, et mentir, vois-tu, ce n'est pas seulement mal, c'est vulgaire. J'y ai beaucoup réfléchi. Par moments, je crois que je serais capable de faire quelque chose de mal, par exemple d'avoir une crise de rage et de tuer Miss Minchin quand elle me traite mal. Mais je ne pourrais pas être vulgaire. Pourquoi ne pas dire à ton père que c'est moi qui les ai lus ?

— Il veut que je les lise, répliqua Ermengarde, un peu découragée par la tournure que prenait l'affaire.

— Il veut que tu saches ce qu'il y a dedans, dit Sarah. Et si je puis te le raconter de telle façon que tu te le rappelles, je crois qu'il sera content. C'est du moins mon avis.

— Il sera sans doute content que j'apprenne quelque chose d'une façon ou d'une autre, admit Ermengarde tristement. Tu le serais aussi, à sa place.

— Ce n'est pas ta faute si..., commença Sarah.

Elle se reprit et s'arrêta net. Elle était sur le point de dire : « Ce n'est pas ta faute si tu es bête. »

— Pas ma faute si quoi ?

— ... Si tu ne parviens pas à apprendre vite, dit Sarah. Certains peuvent, d'autres non. Si tu ne peux pas, tu ne peux pas, un point c'est tout.

Sarah avait de la tendresse pour Ermengarde et ne voulait pas lui faire sentir la différence qui existe entre être incapable d'apprendre vite et être incapable d'apprendre tout court. Alors qu'elle regardait son gentil visage rond, une de ses fameuses idées lui vint à l'esprit.

— Être capable d'apprendre vite n'est pas tout, dit-elle. Être gentille pour les autres est une grande qualité. Même si Miss Minchin savait tout ce qu'il est possible de savoir, cela ne l'empêcherait pas de rester une peste que tout le monde détesterait. Bien des gens très intelligents ont été mauvais et ont fait du mal autour d'eux. Prends le cas de Robespierre.

Elle s'interrompit en remarquant qu'Ermengarde ne semblait plus suivre.

— Tu ne t'en souviens pas ? demanda-t-elle. Je t'en ai parlé il n'y a pas longtemps. Je pense que tu as oublié.

— Eh bien ! Je ne me rappelle pas tout, admit Ermengarde.

— Ce n'est pas grave ! Laisse-moi me débarrasser de ces vêtements mouillés et m'envelopper dans le couvre-lit. Ensuite, je vais tout te raconter de nouveau.

Elle ôta son chapeau et son manteau détrempés qu'elle suspendit à un clou, échangea ses souliers contre de vieux chaussons. Puis elle sauta sur le lit, se mit le couvre-lit sur les épaules, prit ses genoux dans les mains.

— Maintenant écoute, dit-elle.

Et elle plongea dans les glorieux souvenirs de la

Révolution française pour raconter à Ermengarde des histoires qui, à plusieurs reprises, lui firent écarquiller les yeux d'inquiétude et la forcèrent à retenir son souffle. Il était peu probable qu'elle oublierait Robespierre une seconde fois.

Quand Sarah eut terminé, elles se mirent d'accord : M. St. John serait informé du plan qu'elles avaient mis au point. Pour l'heure, les livres resteraient dans la mansarde.

— Et maintenant, parlons un peu d'autre chose, suggéra Sarah. Dis-moi comment se passent les cours de français.

— Beaucoup mieux depuis que je suis venue te voir et que tu m'as expliqué les conjugaisons. Miss Minchin n'a pas compris comment, le lendemain, j'ai fait mes exercices sans aucune faute !

Sarah rit un moment et serra ses genoux.

— Elle ne comprend pas non plus comment Lottie fait ses additions aussi bien, dit-elle, mais c'est parce qu'elle monte ici, et que je l'aide.

Elle regarda autour d'elle.

— La mansarde serait agréable si elle n'était pas aussi lugubre, dit-elle avec un petit rire. Mais c'est l'endroit rêvé pour jouer à faire semblant.

En réalité, Ermengarde ignorait tout des côtés parfois insupportables que présentait la vie au grenier et elle n'avait pas assez d'imagination pour se les représenter. Les rares fois où elle trouvait l'occasion d'y monter, elle en voyait seulement un aspect que les histoires et le jeu à « faire semblant » rendaient agréable. En plus ses escapades avaient le goût de l'aventure et Sarah, même si elle était pâle et fatiguée, même si elle avait beaucoup maigri, était trop fière pour se plaindre. Elle n'avait jamais avoué qu'il lui arrivait de souffrir terriblement de la faim. Elle grandissait rapidement et ses constantes allées et venues lui donnaient un appétit que seuls des repas réguliers et abondants auraient pu satisfaire, pas des nourritures de piètre qualité ingurgitées à n'importe quelle heure en fonction du bon vouloir de la cuisine. En permanence, elle sentait au creux de l'estomac les morsures de la faim.

Si bien que tandis qu'elles étaient assises à parler toutes les deux, Ermengarde ne savait pas que Sarah se demandait si cette faim la laisserait dormir une fois qu'elle serait seule. En fait, il lui semblait qu'elle n'avait jamais eu faim à ce point.

Ce fut alors qu'elles entendirent un bruit, toutes les deux. C'était dans l'escalier, en dessous, et c'était la voix coléreuse de Miss Minchin. Sarah sauta du lit et souffla la bougie.

— Elle gronde Becky, murmura-t-elle, debout dans les ténèbres. Elle la fait pleurer !

— Va-t-elle venir ici ? murmura à son tour Ermengarde, complètement paniquée.

— Non. Elle pensera que je suis couchée. Ne t'inquiète pas !

Miss Minchin ne montait le tout dernier étage que très rarement. Sarah ne se rappelait pas qu'elle l'ait fait en plus d'une occasion. Mais cette fois elle était assez en colère pour arriver au moins à mi-étage et on avait l'impression qu'elle poussait Becky devant elle.

— Espèce de petite impudente ! De malhonnête ! l'entendirent-elles crier. La cuisinière me dit qu'il lui manque des choses, régulièrement !

— C'était pas moi, mâme la directrice ! dit Becky en sanglotant. J'avais faim, pour sûr, mais c'était pas moi !

— Tu mériterais d'aller en prison ! dit la voix de Miss Minchin. Voler la moitié d'un pâté à la viande !

— C'est pas moi ! répéta Becky en pleurant. C'est sûr que j'aurais pu en manger un en entier mais j'ai pas mis un doigt dessus !

Miss Minchin se trouvait hors de souffle à cause de l'escalier et de la colère combinés. Le pâté était destiné à un petit souper personnel. Il devint évident qu'elle était en train de gifler Becky.

— Ne me raconte pas de mensonges, dit-elle. File dans ta chambre tout de suite !

Sarah et Ermengarde entendirent une autre claque qui retentissait, puis Becky qui courait dans l'escalier jusqu'à sa mansarde. Elles entendirent la porte se fermer, surent qu'elle s'était jetée sur le lit.

— J'aurais ben pu en manger même deux, l'entendirent-elles dire tout en pleurant dans son oreiller, mais j'en ai pas pris rien qu'une bouchée. C'est la cuisinière qui l'a donné à son ami, l'agent de police.

Sarah se tenait debout dans le noir. Elle serrait les dents et ouvrait et fermait férocement ses bras tendus. Elle avait du mal à rester immobile mais elle ne bougea pas avant que Miss Minchin soit redescendue et que tout redevienne silencieux.

— Méchante ! Cruelle créature ! explosa-t-elle alors. La cuisinière prend des choses pour elle et dit que Becky les vole ! Elle ne le fait pas ! Elle est pourtant tellement affamée qu'il lui arrive de chercher des croûtons dans la poubelle !

Elle se posa les mains sur le visage et éclata en sanglots. Ermengarde, quand elle l'entendit pleurer, en resta comme pétrifiée. Sarah, pleurer ! Sarah l'indomptable ! Cela semblait révéler quelque chose dont Ermengarde ignorait tout. Et brusquement, une hypothèse abominable se fit jour dans son esprit tout à la fois gentil et lent. Elle descendit du lit, marcha jusqu'à la table, ralluma la bougie. Puis elle se pencha pour regarder

Sarah tandis que l'idée qu'elle venait d'avoir remplissait ses yeux d'effroi.

— Sarah, dit-elle d'une voix timide qui trahissait sa panique, as-tu... tu ne me l'as jamais dit et je ne veux pas être malpolie, mais t'arrive-t-il de souffrir de la faim ?

C'était trop pour ce moment-là. La barrière tomba. Sarah leva son visage d'entre les mains.

— Oui, dit-elle avec passion. Oui j'ai faim ! J'ai tellement faim que je pourrais presque te dévorer. Et d'entendre cette malheureuse Becky rend les choses encore pires. Elle est encore plus affamée que moi !

Ermengarde en eut le souffle coupé.

— Oh ! Oh ! s'exclama-t-elle tristement. Je ne m'en suis même pas doutée.

— Je ne voulais pas que tu saches ! dit Sarah. Je me serais sentie comme une mendiante des rues. Je sais que, déjà, j'ai l'allure d'une mendiante.

— Oh ! non ! Ce n'est pas vrai ! s'écria Ermengarde. Tes vêtements sont un peu étranges mais tu ne peux pas ressembler à une mendiante. Et tu n'as pas le visage d'une mendiante !

— Un jour, un petit garçon m'a fait l'aumône de six pence ! dit Sarah avec un petit rire qu'elle ne put retenir. La voici !

Elle tira le ruban qu'elle portait autour du cou.

— Il ne m'aurait pas donné la pièce qu'il avait eue pour Noël si je n'avais pas donné l'impression d'en avoir besoin.

D'une certaine façon, la vue de la pièce leur fit du bien à toutes les deux. Elles rirent ensemble bien qu'elles eussent des larmes plein les yeux.

— Qui était-ce ? demanda Ermengarde en regardant la pièce comme s'il ne s'agissait que d'une banale pièce de six pence.

— Un amour de petit bonhomme qui allait à une fête, dit Sarah. Le petit garçon de la Grande Famille que j'ai baptisé Guy Clarence. Je suppose que la nursery était pleine de cadeaux et de friandises et qu'il a vu que je n'avais rien.

Ermengarde fit un petit saut en arrière. Cette dernière phrase lui avait rappelé quelque chose et lui avait donné une inspiration soudaine.

— Oh ! Sarah, dit-elle, que je suis bête de ne pas y avoir pensé !

— Pensé à quoi ?

— À quelque chose de splendide ! dit Ermengarde, très excitée. Cette après-midi, ma tante m'a fait parvenir un panier à pique-nique. Il est plein de bonnes choses. Je n'y ai pas touché. J'avais mangé tellement de pudding à déjeuner et j'étais tellement ennuyée à cause des livres de papa !

Les mots commencèrent à se bousculer.

— Il y a un gâteau dedans, et des petits pâtés

à la viande, des tartelettes à la confiture, des pains aux raisins et puis des oranges, du vin de cassis, des figues et du chocolat. Je vais descendre chercher tout ça maintenant et nous le mangerons.

Sarah tituba presque. Quand on défaille de faim, la mention de nourritures produit de curieux effets. Elle prit Ermengarde par le bras.

— Tu penses que tu pourrais ? dit-elle.

— Bien sûr que je peux, répliqua Ermengarde.

Elle courut à la porte, l'entrebâilla, avança la tête dans les ténèbres, écouta un moment.

— Les lumières sont éteintes. Tout le monde est au lit. Je peux aller et venir, personne n'entendra rien.

C'était si délicieux qu'elles se prirent la main et qu'une lueur apparut dans le regard de Sarah.

— Ermie, dit-elle, imaginons que c'est une réception et... ne vas-tu pas inviter la prisonnière de la cellule d'à côté ?

— Si ! Si ! Bien sûr ! Tapons au mur tout de suite. Les geôlières n'entendront pas !

Sarah, suivie par Ermengarde, s'approcha du mur. À travers la cloison, on pouvait entendre la pauvre Becky qui sanglotait doucement. Sarah frappa quatre coups.

— Cela signifie : viens me rejoindre par le passage secret, expliqua-t-elle. J'ai quelque chose à te dire.

Cinq coups rapides lui répondirent.

— Elle dit qu'elle arrive, traduisit Sarah.

Presque tout de suite après, la porte de la mansarde s'ouvrit en grand et Becky parut. Elle avait les yeux rouges et le bonnet de travers. Quand elle aperçut Ermengarde, elle se mit à s'essuyer fébrilement le visage avec son tablier.

— Ne t'inquiète pas du tout pour moi, Becky, dit Ermengarde.

— Mlle Ermengarde a demandé que tu viennes, dit Sarah, parce qu'elle va nous apporter, ici, en haut, un panier rempli de bonnes choses.

Le bonnet de Becky tomba presque complètement tant elle était excitée en disant :

— À manger, mamoiselle ? Des bonnes choses à manger ?

— Oui, dit Sarah. Nous allons faire comme si nous donnions une fête !

— Et tu auras à manger autant que tu voudras, ajouta Ermengarde. J'y vais tout de suite.

Elle était si pressée qu'en traversant la mansarde sur la pointe des pieds, son châle glissa de ses épaules. Elle ne s'en aperçut même pas et personne ne le remarqua, du moins pendant une minute ou deux. Becky était trop bouleversée par la bonne fortune qui lui tombait dessus.

— Oh ! mamoiselle ! mamoiselle ! pantela-t-elle, je sais que c'est vous qui y avez demandé qu'elle me laisse venir ! Rien que d'y penser, ça me donne envie de pleurer !

Dans les yeux de Sarah, l'ancienne petite lueur venait de reparaître, celle qui transformait le monde pour elle.

— Il se produit toujours quelque chose avant que la situation ne tourne au pire. Cela arrive comme par magie. Si, au moins, je pouvais m'en souvenir : le pire ne survient jamais tout à fait.

Puis elle secoua chaleureusement Becky.

— Non, il ne faut pas pleurer ! dit-elle. Dépêche-toi plutôt de dresser la table !

— Dresser la table, mamoiselle, dit Becky en regardant autour d'elle. Mais avec quoi qu'il faudrait que je la dresse ?

Sarah regarda autour d'elle à son tour.

— Il ne semble pas qu'il y ait grand-chose, répondit-elle en riant à moitié.

À ce moment-là, elle vit quelque chose et s'en empara aussitôt. C'était le châle d'Ermengarde qui était sur le sol.

— Le châle, dit-elle, je sais qu'elle n'y verra pas d'inconvénient. Il fera un merveilleux tapis de table rouge !

Elles tirèrent la petite table et posèrent le châle dessus. Le rouge est une couleur chaleureuse et très meublante. La petite pièce en fut tout de suite changée.

— Quoi d'autre, maintenant, dit Sarah en se mettant les mains sur les yeux. Quelque chose va se passer si je réfléchis et que j'attende un peu. La magie va me le dire.

Elle prétendait volontiers que les idées attendent en dehors de la tête d'avoir l'occasion d'y entrer. Becky l'avait vue à plusieurs reprises, déjà, attendre une idée de cette même façon ; elle savait que Sarah ne tarderait pas à ôter les mains pour dévoiler un large sourire, signe qu'elle tenait l'idée.

Ce fut ce qui se produisit.

— J'ai trouvé ! dit-elle, il faut regarder ce qu'il y a dans la vieille malle. Celle que j'avais quand j'étais une princesse.

Elle courut dans le coin où elle se trouvait et s'agenouilla. On ne l'avait pas placée dans la mansarde pour qu'elle en profite mais parce qu'il n'y avait pas de place ailleurs. On n'y avait laissé que des choses sans valeur. Mais Sarah savait que, grâce à la magie, elle y découvrirait des merveilles.

Dans un coin de la malle se trouvait un paquet d'aspect si misérable qu'on n'y avait pas fait cas et qu'elle-même y avait laissé, comme un souvenir. Il contenait une douzaine de petits mouchoirs blancs. Elle les prit joyeusement et courut à la table. Elle se mit à les arranger sur le tapis de table rouge, en les tapotant et en les lissant pour leur faire prendre la forme souhaitée, la petite bordure en dentelle bien visible sur le dessus.

— Voici les assiettes, dit-elle. Elles sont en or. Et voici les serviettes richement brodées. Ce sont des religieuses qui les ont brodées dans leur couvent, en Espagne.

— Des religieuses ? Vraiment ? demanda Becky que cette information éberluait.

— Il faut faire semblant ! répondit Sarah. Si tu fais semblant, assez fort, tu le verras toi aussi !

— Oui, mamoiselle, répondit Becky.

Et tandis que Sarah courait se replonger dans la malle, elle se consacra à cet effort qu'elle souhaitait tellement voir se couronner de succès. Sarah, en tournant la tête, la vit qui se tenait près de la petite table, les yeux fermés, le bas du visage crispé, les bras pendant le long du corps, les poings serrés. Elle semblait essayer de soulever un poids énorme.

— Que t'arrive-t-il, Becky ? Que fais-tu ?

Becky sursauta et rouvrit les yeux.

— Je faisais, heu ! semblant, mamoiselle, répondit-elle timidement. J'y suis presque arrivée mais pour ça, faut beaucoup de la force !

— Sans doute en faut-il beaucoup quand on n'est pas entraîné, dit Sarah avec beaucoup de sympathie, mais tu n'imagines pas comme c'est facile quand on le fait souvent. Pour un début, tu ne devrais pas essayer aussi fort. Cela viendra avec le temps. Je vais plutôt te dire comment sont les choses. Regarde ça !

Elle avait à la main un vieux chapeau d'été qu'elle venait de pêcher au fond de la malle. Il y avait une couronne de fleurs dessus. Elle l'arracha.

— Voici des guirlandes pour la fête, dit-elle avec emphase. Elles emplissent l'air de leur parfum. Il y a un pot sur la toilette, Becky. Et prends aussi le porte-savon, pour faire un centre de table.

Becky les lui passa respectueusement.

— Elles sont en quoi, maintenant, mamoiselle ? demanda-t-elle. On croirait bien que c'est que de la porcelaine mais je sais bien que c'en est pas !

— C'est un pichet en verre taillé, répondit Sarah tout en arrangeant les vrilles de la couronne dans le pot. Et ça, ajouta-t-elle en emplissant le porte-savon de roses, c'est de l'albâtre pur incrusté de pierres précieuses.

Elle touchait les objets avec grâce, un sourire heureux aux lèvres qui la faisait ressembler à une créature comme on en voit dans les rêves.

— Mon Dieu, ce que c'est joli !

— Si au moins nous avions quelque chose pour faire des assiettes à gâteaux, murmura Sarah.

Mais, ajouta-t-elle en fonçant vers la malle, je viens de le voir à l'instant !

C'était juste un écheveau de laine dans du papier de soie mais ce dernier fut bientôt modelé pour former les assiettes en question. Le reste, joint à quelques fleurs, alla décorer le bougeoir qui allait éclairer la réception. C'était une vieille table couverte d'un châle et d'objets sans valeur mais Sarah fit un pas en arrière, la contempla et, comme par magie, y vit des merveilles. Quant à Becky, elle demanda d'une voix altérée par l'émotion :

— C'est toujours la Bastille ou alors c'est devenu quelque chose d'autre à présent ?

— C'est tout à fait différent, dit Sarah. Nous sommes dans une salle de banquets !

— Ben ça alors ! lâcha Becky ! Une salle de baquets !

Et elle fit un tour sur elle-même pour jeter sur tout ce qui l'entourait un regard mêlant admiration et timidité.

La porte s'ouvrit pour laisser entrer Ermengarde qui titubait un peu sous le poids du panier à pique-nique. Elle poussa une exclamation de plaisir en voyant la table joliment apprêtée pour la fête.

— Oh ! Sarah ! tu es la fille la plus incroyablement habile que j'aie jamais rencontrée !

— C'est gentil, non ? dit Sarah. Ce sont de vieilles choses qui étaient dans ma malle. J'ai demandé de l'aide à la magie et elle m'a conseillée d'aller y voir.

— On dirait une véritable réception, répondit Ermengarde.

— C'est comme la table de la reine ! dit Becky.

Ermengarde eut alors une brillante idée.

— Je vais te dire, Sarah, fais comme si tu étais une princesse maintenant et comme si tout ceci était une réception royale !

— Mais c'est ta réception, répliqua Sarah. Tu dois être la princesse et nous serons tes demoiselles d'honneur.

— Oh ! non, je ne peux pas ! répondit Ermengarde. Je suis trop grosse, et puis je ne saurais pas. Toi, sois la princesse !

— Bon, c'est comme tu veux, répondit Sarah. Et maintenant, que la fête commence !

Elle se dirigea lentement vers la table en saluant gracieusement Ermengarde et Becky de la tête pour les inviter à la suivre. Elle était sur un petit nuage.

— Avancez, gentes damoiselles, dit-elle d'une voix heureuse, vous asseoir à la table du banquet. Mon noble père le roi, qui est en voyage, m'a demandé de vous recevoir.

Elle se tourna vers l'angle de la pièce.

— Ménestrels, touchez vos violes et sonnez vos bassons. Les princesses, expliqua-t-elle à l'intention d'Ermengarde et de Becky, avaient toujours des ménestrels qui jouaient à leurs banquets. Faisons comme s'il y avait une tribune avec des musiciens là-haut, dans le coin. Et maintenant, commençons !

Elles eurent à peine le temps de prendre un morceau de gâteau à la main. Aucune ne put faire plus avant de bondir sur leurs pieds, de tourner des visages qui étaient brusquement devenus blêmes vers la porte pour écouter, écouter...

Quelqu'un montait l'escalier, c'était indubitable. Toutes reconnurent le pas nerveux qui approchait et qui signifiait que c'était la fin de tout.

— C'est mâme la directrice ! s'étrangla Becky en laissant tomber son morceau de gâteau au sol.

— Oui, dit Sarah qui avait pâli et dont les yeux s'étaient agrandis d'inquiétude. Miss Minchin nous a découvertes !

Miss Minchin ouvrit la porte d'une poussée brusque de la main. Elle était livide elle aussi, mais de rage. Son regard alla des trois visages effrayés à la table du banquet.

— Je me doutais que quelque chose du genre était dans l'air, s'écria-t-elle, mais je n'aurais jamais imaginé pareille audace ! Lavinia disait bien la vérité !

Elles surent donc que c'était Lavinia qui avait appris leur petit secret et les avait trahies. Miss Minchin fonça sur Becky et la gifla pour la seconde fois.

— Impudente créature, cria-t-elle. Tu quitteras la maison demain matin !

Sarah resta immobile. Ses yeux s'agrandirent encore tandis qu'elle devenait plus pâle. Ermengarde éclata en larmes.

— Oh, ne la renvoyez pas ! sanglota-t-elle. Ma tante m'a expédié ce panier. Nous faisons juste une petite fête !

— C'est ce que je vois, dit Miss Minchin en pâlissant. Avec la princesse Sarah à la place d'honneur !

Elle se tourna vers cette dernière, l'air féroce :

— Tout cela est votre œuvre, je le sais ! cria-t-elle. Ermengarde n'aurait jamais eu une idée pareille. C'est vous qui avez décoré la table avec ces saletés, je suppose !

Elle tapa du pied à l'intention de Becky.

— Retourne dans ta mansarde ! ordonna-t-elle.

Becky s'en fut précipitamment, la tête cachée sous son tablier, les épaules agitées de mouvements convulsifs.

Puis ce fut de nouveau le tour de Sarah.

— Je m'occuperai de vous demain. Vous n'aurez ni petit déjeuner, ni déjeuner, ni dîner.

— Je n'ai eu ni déjeuner ni dîner aujourd'hui, Miss Minchin, dit Sarah assez faiblement.

— Eh bien, tant mieux ! Au moins, vous vous en souviendrez ! Ne restez pas plantée là ! Replacez toutes ces provisions dans le panier !

Miss Minchin se mit à débarrasser la table en rangeant tout dans le panier jusqu'au moment où elle aperçut les livres.

— Et vous, dit-elle à Ermengarde, vous avez apporté vos beaux livres neufs dans ce grenier malpropre ! Prenez-les et allez au lit ! Vous y resterez tout demain et j'écrirai à votre papa. Que dirait-il s'il savait où vous vous trouviez ce soir ?

Quelque chose qu'elle lut dans le regard grave que Sarah fixait sur elle la fit se retourner sauvagement.

— À quoi pensez-vous encore ? demanda-t-elle. Pourquoi me regardez-vous de la sorte ?

— Je me demandais..., répondit Sarah comme elle l'avait fait ce fameux jour dans la salle de classe.

— Vous vous demandiez quoi donc ?

Dans l'attitude de Sarah, il n'y avait pas d'impertinence. Elle était juste triste, et calme.

— Je me demandais, reprit Sarah à voix basse, ce que dirait mon papa s'il savait où je suis.

Miss Minchin était furieuse, comme précédemment, et sa rage s'exprima, une nouvelle fois, sans retenue. Elle fonça sur Sarah et se mit à la secouer.

— Petite insolente ! cria-t-elle. Comment osez-vous ?

Elle prit les livres, balaya de la main les restes du banquet dans le panier, posa ce dernier dans les bras d'Ermengarde et la poussa devant elle, vers la porte.

— Je vous laisse réfléchir, dit-elle. Au lit tout de suite !

Elle ferma la porte derrière elle et la malheureuse Ermengarde qui tremblait de tous ses membres. Sarah demeura seule, debout au milieu de la mansarde.

Le rêve s'était enfui. La table était nue. Assiettes, serviettes, guirlandes étaient redevenues des morceaux de papier, de vieux mouchoirs, de pauvres fleurs artificielles dépareillées. Les ménestrels de la tribune avaient fui. Émilie était assise dos au mur, le regard fixe. Sarah la vit et la prit dans ses mains tremblantes.

— Il n'y a plus de banquet, Émilie, dit-elle. Plus de princesse, non plus. Il ne reste que les prisonnières de la Bastille.

Puis elle s'assit et se cacha le visage dans les mains.

Que se serait-il passé si, au lieu de se cacher les yeux, elle les avait levés vers la lucarne, précisément à ce moment-là ? Je ne le sais pas exactement mais la fin de ce chapitre aurait probablement été différente. Car si elle avait regardé, elle aurait certainement été très surprise par ce qu'elle aurait vu. Elle aurait vu un visage sombre qui, tout proche de la vitre l'observait avec beaucoup d'attention.

Le fait est qu'elle ne regarda pas. Elle resta assise, sa tête brune enfouie dans les bras, pendant un moment. Elle s'installait toujours de la sorte quand elle voulait supporter quelque chose en silence. Puis elle se leva et, lentement, se mit au lit.

« Je ne peux pas faire semblant tant que je suis éveillée, se dit-elle, cela ne servirait à rien. En dormant, il me viendra peut-être un rêve qui fera semblant à ma place. »

Soudain, elle se sentit terriblement lasse, peut-être en partie à cause du manque de nourriture. Si bien qu'elle ferma les yeux et s'endormit sans plus tarder.

Elle ne sut pas combien de temps elle dormit. Mais elle était assez fatiguée pour dormir profondément, assez profondément pour n'être dérangée par rien, pas même par les couinements de la famille de Melchisédech tout entière s'il lui avait pris la fantaisie de venir se chamailler sous son lit.

Quand elle s'éveilla, ce fut assez brusquement, sans qu'elle eût conscience que quelque chose de particulier l'avait tirée du sommeil. En réalité, toutefois, ce fut un son qui la réveilla, le claquement de la lucarne qui se referma après qu'une silhouette en blanc l'eut utilisée pour sortir de la mansarde et se glisser à pas de loup sur les ardoises, assez loin pour ne pas être vue mais pas trop, de façon à voir ce qu'il se passait dans le grenier.

Dans un premier temps, elle n'ouvrit pas les yeux. Elle se sentait trop ensommeillée pour cela et, curieusement, elle avait chaud, elle se sentait bien. L'ambiance de la mansarde était si agréablement douillette qu'elle ne crut pas tout de suite qu'elle était réveillée : elle avait aussi chaud seulement dans ses rêves.

« Je fais un rêve agréable, songea-t-elle, et je ne veux surtout pas m'éveiller. »

Si elle se sentait aussi bien, c'est que des couvertures étaient empilées sur son lit. Et quand elle tendit la main, elle sentit l'enveloppe en satin d'un édredon en duvet. Il ne fallait surtout pas qu'elle s'éveille de ce rêve délicieux !

Pourtant, elle eut beau essayer de garder les yeux bien clos, elle n'y parvint pas. Il y avait

quelque chose dans la pièce qui la fo
ouvrir. Quelque chose qui donnait de la
et qui faisait du bruit – comme le ronflem
petit feu.

« Oh ! je m'éveille, se dit-elle tristement. Je ne peux pas m'en empêcher ! »

Elle ouvrit alors les yeux en grand et sourit car ce qu'elle vit dans la mansarde, elle ne l'avait jamais vu et elle savait qu'elle ne le reverrait jamais.

— Je rêve encore, murmura-t-elle, car si j'étais éveillée, de telles choses ne pourraient absolument pas exister.

Vous vous demandez pourquoi elle était sûre de ne pas être revenue sur terre ? Voici ce qu'elle voyait. Dans le foyer brûlait un feu joyeux. Sur la grille, il y avait une bouilloire en cuivre qui sifflait. Au sol, était étalé un épais tapis cramoisi. Devant le feu, une chaise pliante était ouverte, avec des coussins dessus. À côté, une table, pliante elle aussi, était couverte d'une nappe blanche avec, dessus, des plats et leur couvercle, une tasse, une sous-tasse, un pot à thé. Sur le lit, il y avait des couvertures chaudes, un couvre-lit neuf, un édredon avec une housse en satin. Près du lit, il y avait une robe de chambre en soie molletonnée, des chaussons matelassés et des livres. La chambre de ses rêves était venue tout droit du pays des fées, ondée d'une douce lumière car une lampe brûlait sur la table sous un bel abat-jour rose.

Sarah se souleva dans le lit, sur un coude, le souffle court.

— Cela ne disparaît pas ! pantela-t-elle.

Elle n'osait pas se lever mais elle finit par écarter les couvertures et mit les pieds à terre en souriant aux anges.

— Je rêve que je me lève, s'entendit-elle dire.

Puis, tandis qu'elle demeurait immobile, portant son regard d'un côté et d'un autre :

— Je rêve que tout reste vrai ! dit-elle. Tout cela est enchanté ou alors, je suis sous l'emprise d'un sortilège ! Je crois juste que je vois tout cela !

Elle se tint un moment sans bouger, hors d'haleine, avant de s'écrier :

— Ce n'est pas vrai ! Il est impossible que ce soit vrai. Et pourtant, cela paraît tellement vrai !

Le feu qui flamboyait l'attira. Elle s'agenouilla devant, tendit les mains, les approcha tant qu'elle dut les retirer précipitamment.

— Un feu dont je rêverais ne serait pas aussi brûlant !

Elle se leva, toucha la table, les plats, le tapis ; elle revint au lit, toucha les couvertures. Elle prit la confortable robe de chambre, la serra brusquement contre sa poitrine, la tint contre sa joue.

— C'est chaud ! C'est doux ! s'écria-t-elle. Ce doit être vrai !

Elle la passa, enfila les chaussons.

— Ils sont vrais ! Tout est vrai ! Je ne rêve pas !

Elle se précipita sur les livres et ouvrit celui qui se trouvait sur le dessus de la pile. Il y avait quelque chose d'écrit sur la page de garde, juste ces quelques mots : *À la petite fille de la mansarde. De la part d'un ami.*

Quand elle lut cela – n'était-ce pas étonnant de sa part ? – elle posa le front sur la page et fondit en larmes.

— Je ne sais pas qui c'est, dit-elle, mais quelqu'un se soucie de moi. J'ai un ami.

Elle prit la chandelle, sortit de sa chambre sans bruit, entra dans celle de Becky et s'arrêta près du lit.

— Becky ! Becky ! appela-t-elle aussi haut qu'elle l'osa. Réveille-toi !

Becky s'éveilla et s'assit dans le lit, l'air hagard, le visage encore humide de larmes. Près d'elle se tenait une petite silhouette drapée dans une luxueuse robe de chambre en soie cramoisie. Le visage qu'elle distingua était une chose radieuse, merveilleuse. La princesse Sarah telle qu'elle se la rappelait se tenait juste à côté d'elle, une chandelle à la main.

— Viens, dit-elle. Ho ! Becky, viens !

Becky était trop effrayée pour parler. Elle se leva et la suivit, les yeux et la bouche ouverte, sans mot dire.

Elles traversèrent le palier, puis Sarah referma la porte doucement et la fit avancer dans cette chaleur et cette lumière qui les faisaient tituber tant elles en avaient été privées.

— C'est vrai ! cria-t-elle. Tout est vrai ! Tout cela est venu par magie, Becky, pendant que nous dormions !

16

Le visiteur

Imaginez, si vous le pouvez, à quoi ressembla le reste de la soirée. Comment Sarah et Becky s'accroupirent près du feu qui donnait tant de lui-même dans le petit foyer. Comment elles ôtèrent les couvercles pour trouver dans les plats une soupe crémeuse et goûteuse qui était un repas à elle seule, des sandwichs, des toasts, des brioches, en quantité suffisante pour toutes les deux. Le pot de la toilette servit de tasse à Becky et le thé était si délicieux qu'il ne fut pas utile de faire comme si c'était autre chose que du thé. Elles avaient chaud, elles étaient rassasiées et heureuses. Sarah, désormais sûre que cet étrange coup de chance était bien réel, en profitait au maximum. Elle avait tellement vécu en s'imaginant les choses qu'il ne lui était pas difficile d'accepter ce qui sortait de l'ordinaire, comme c'était le cas pour le moment.

— Je ne connais personne qui aurait pu faire cela, dit-elle, mais il faut bien que ce soit quelqu'un. Nous sommes assises près d'un feu qui est bien réel. Quel qu'il soit et où qu'il soit, j'ai un ami, Becky ! Quelqu'un est mon ami !

On ne peut pas cacher que, tandis qu'elles se tenaient près du feu, à manger cette nourriture substantielle et savoureuse, elles éprouvaient une sorte de crainte mêlée de ravissement.

— Vous croyez pas qu'on devrait se dépêcher, mamoiselle, des fois que tout disparaîtrait ? demanda Becky avant d'enfourner un sandwich entier dans la bouche.

— Non, rien ne disparaîtra, répondit Sarah. Je mange cette brioche et j'en sens le goût. On ne mange jamais vraiment, en rêve. On se prépare seulement à le faire. En plus, je n'arrête pas de me pincer et je viens juste de toucher un morceau de charbon qui était brûlant.

La douce quiétude qui les envahit presque entièrement était une chose paradisiaque. C'était la somnolence de l'enfance heureuse et bien nourrie.

Elles demeurèrent immobiles devant le feu jusqu'à ce que Sarah tourne la tête pour considérer le lit. Il y avait assez de couvertures pour les partager avec Becky. Cette nuit-là, l'étroite couche dans la mansarde voisine serait plus confortable que son occupante l'avait jamais rêvé.

En retournant chez elle, Becky s'arrêta sur le palier et regarda en arrière avec des yeux brillants de passion.

— Si tout ça est plus là demain matin, mamoiselle, en tout cas c'était là ce soir, et je l'oublierai jamais.

Elle s'attarda sur chaque chose l'une après l'autre, comme pour tout bien imprimer dans sa mémoire.

— Là y avait le feu, dit-elle, là, la table et la lampe rouge rosé, et puis l'édredon, le tapis et tout qui était si joli et aussi, ajouta-t-elle en posant les mains sur son ventre avec tendresse, les sandwichs, les brioches et tout et tout !

Sur quoi, elle s'en alla.

Le lendemain, grâce à ce mystérieux réseau qui fonctionne si bien dans les écoles et parmi les domestiques, on savait dès le matin que Sarah Crewe était terriblement en disgrâce, qu'Ermengarde était punie et que Becky aurait été renvoyée de la maison avant le petit déjeuner si on avait pu se dispenser d'une fille de cuisine d'un instant à l'autre. Les domestiques savaient qu'elle restait seulement parce que Miss Minchin ne trouverait pas si facilement une autre créature sans défense qu'elle pourrait faire travailler comme une esclave pour quelques misérables shillings par semaine. Les plus grandes parmi les pensionnaires savaient aussi que, si Miss Minchin ne renvoyait pas Sarah, c'était simplement une question d'intérêt.

— Elle grandit vite et apprend tellement de choses, dit Jessie à Lavinia, qu'on pourra bientôt lui confier une classe et Miss Minchin la fera travailler pour rien. C'était assez méchant de ta part, Lavvie, de lui rapporter qu'elle prenait du bon temps dans le grenier. Comment l'as-tu découvert ?

— Je l'ai su par Lottie, répondit Lavinia. C'est un tel bébé qu'elle ne s'est pas aperçue qu'elle me le disait. Et ce n'était pas du tout méchant de le répéter à Miss Minchin, c'était mon devoir. Sarah faisait des choses dans son dos ! Et c'est ridicule qu'elle se comporte de façon prétentieuse et qu'on fasse autant cas d'elle, avec ses haillons !

— Que faisaient-elles quand Miss Minchin les a attrapées ?

— Elles étaient en train de prétendre des choses absurdes. Ermengarde avait apporté son panier de provisions et elle les partageait avec Sarah et Becky. Elle ne nous invite jamais, nous.

Non pas que cela me dérange, mais c'est plutôt vulgaire de partager ses provisions avec des servantes dans le grenier. Je m'étonne que Miss Minchin ne l'ait pas renvoyée même si elle veut en faire un professeur !

— Si on la renvoyait, où irait-elle ? demanda Jessie avec un peu d'inquiétude dans la voix.

— Comment le saurais-je ? aboya Lavinia. Je pense qu'elle sera un peu mal à l'aise quand elle viendra dans la salle de classe, ce matin, après ce qui est arrivé. Elle n'a pas eu de dîner hier, et elle n'aura rien non plus aujourd'hui.

Jessie était plus sotte que méchante et frissonna en prenant son livre.

— Eh bien ! je trouve que c'est horrible ! dit-elle. Elles n'ont pas le droit de la faire mourir de faim.

Quand Sarah entra dans la cuisine, le matin, la cuisinière lui lança un regard méfiant qu'imitèrent les femmes de chambre mais elle passa sans s'arrêter. En fait, elle avait dormi un peu trop tard et comme Becky en avait fait autant, elles n'avaient pas eu le temps de se voir, chacune étant descendue de son côté.

Sarah alla à l'office. Becky récurait vigoureusement une bouilloire tout en gazouillant une chanson à voix basse. Elle leva les yeux, affichant une mine largement réjouie.

— Elles étaient là quand je me suis réveillée, mamoiselle, les couvertures, murmura-t-elle. Elles étaient aussi vraies qu'elles étaient hier au soir !

— Les miennes aussi, dit Sarah. Tout est encore là. J'ai même mangé certaines choses froides tout en m'habillant.

— Bonté divine ! s'écria Becky dans une sorte de grognement ravi avant de replonger précipitamment la tête vers la bouilloire parce que la cuisinière arrivait de la cuisine.

Miss Minchin s'attendait à voir chez Sarah, au moment où elle entrerait dans la salle de classe, exactement ce que Lavinia espérait. Sarah avait toujours été une énigme fort embarrassante pour elle, parce que la sévérité ne la faisait pas pleurer et ne semblait même pas l'émouvoir. Quand on la grondait, elle se tenait immobile et écoutait poliment avec une expression sérieuse sur le visage. Quand on la punissait, elle effectuait les travaux supplémentaires ou se passait de repas sans se plaindre ni manifester aucun signe de révolte. Le fait qu'elle ne se montrait jamais insolente semblait à Miss Minchin une sorte d'insolence en soi. Mais la privation de repas de la journée précédente, la scène de la veille et la perspective de jeûner tout le jour auraient dû la briser. Il serait curieux, de fait, qu'elle ne descende pas avec les joues blêmes, les yeux rouges et l'air malheureux et humilié.

Miss Minchin ne l'avait pas vue, ce matin-là, avant qu'elle entre dans la salle de classe pour faire réciter leurs leçons de français aux petites et contrôler leurs exercices. Elle arriva d'un pas vif, les joues roses, avec un sourire qui lui retroussait le bord des lèvres. C'était la chose la plus étonnante que Miss Minchin ait jamais vue. Cela lui causa un choc. De quoi cette fille était-elle donc faite ? Que pouvait bien signifier tout cela ? Elle la fit aussitôt venir près de son bureau.

— Vous ne semblez pas vous rendre compte de ce que vous êtes en disgrâce, dit-elle. Êtes-vous totalement endurcie ?

En vérité, quand on est encore une enfant – ou même un adulte – et qu'on a bien mangé et bien dormi et qu'on s'est endormi au beau milieu d'une féerie, qu'on s'est ensuite réveillé en constatant que ce conte de fées est vrai, on ne peut pas être malheureux ni même sembler l'être. Et, dans de telles circonstances, personne ne pourrait, même en s'y efforçant, s'empêcher d'avoir un petit éclat de joie dans le regard. Miss Minchin resta comme hébétée par l'aspect qu'avaient les yeux de Sarah quand elle lui fit cette réponse parfaitement polie :

— Je vous prie de m'excuser, Miss Minchin, je sais que je suis en disgrâce.

— Soyez assez bonne pour ne pas l'oublier et éviter de donner l'impression que vous venez de faire fortune. C'est de l'impertinence ! Et rappelez-vous que vous n'aurez rien à manger aujourd'hui !

— Oui, Miss Minchin ! répondit Sarah.

Mais, alors qu'elle tournait les talons, son cœur se serra en pensant à ce qu'aurait pu être la journée de la veille. « Si la magie ne m'avait pas sauvée juste à temps, cela aurait été vraiment terrible ! »

— Elle ne peut pas avoir bien faim ! murmura Lavinia. Regarde-la ! Peut-être est-elle en train de prétendre qu'elle a pris un excellent petit déjeuner, ajouta-t-elle avec un rire plein de mépris.

— Elle est différente des autres gens, répondit Jessie tout en surveillant Sarah qui était avec sa classe de petites. Par moments, j'ai un peu peur d'elle.

— Tu es ridicule ! cracha Lavinia.

Tout le jour, les yeux de Sarah continuèrent à briller et ses joues restèrent roses. Les domestiques lui jetaient des regards éberlués et les petits yeux bleus de Miss Amélie trahissaient un vif étonnement. Ce que cette expression audacieuse de bien-être pouvait signifier, alors qu'on était si vivement mécontente d'elle, elle ne parvenait pas à le comprendre. En même temps, cette tranquille obstination cadrait bien avec le comportement habituel de Sarah. Elle était probablement résolue à tout endurer.

Après y avoir bien réfléchi, Sarah en était certaine, il fallait garder secrètes les merveilles qui s'étaient produites, du moins autant que possible. Si Miss Minchin décidait de monter au grenier une nouvelle fois, bien sûr, tout serait découvert. Mais il semblait peu probable qu'elle y retourne d'ici peu, sauf si elle concevait des soupçons. Ermengarde et Lottie seraient surveillées de si près qu'elles n'auraient pas l'occasion de s'échapper de leur chambre. On pourrait raconter toute l'histoire à Ermengarde à qui on pouvait faire confiance : elle garderait le secret. Si Lottie découvrait quoi que ce soit, on lui demanderait le secret aussi. Et peut-être que la magie elle-même aiderait à garder secrets ses miracles.

« N'importe quoi qu'il se passe, se répéta Sarah tout le long de la journée, il y a quelque part dans le monde une personne gentille qui est mon ami. Même si je ne découvre jamais de qui il s'agit, même si je ne peux jamais le remercier, je ne me sentirai jamais plus aussi seule ! »

Le temps, ce jour-là, fut pire que celui de la veille, plus boueux, plus humide et froid, à supposer que ce fût possible. Il y eut encore plus de courses à faire, la cuisinière fut plus mal embouchée et, sachant que Sarah était en disgrâce, encore plus désagréable. Mais rien n'importe quand on sait qu'on a la magie pour soi. Le souper de la veille avait restauré les forces de Sarah, elle savait qu'elle dormirait bien au chaud, de sorte que, même si la faim se manifesta avant le soir, elle sut qu'elle la supporterait jusqu'au lendemain, quand ses repas lui seraient servis de nouveau.

Il était tard quand on lui donna enfin la permission de monter. On lui avait dit d'aller dans la salle de classe pour étudier jusqu'à dix heures mais, passionnée par ce qu'elle apprenait, elle était restée dans ses livres bien plus tard.

Quand elle atteignit le palier du grenier et qu'elle se tint devant sa porte, il faut l'avouer, son cœur battait très fort.

— Bien sûr, tout peut avoir été repris, murmura-t-elle en s'efforçant d'être courageuse. Mais au moins, j'en aurai profité une nuit !

Elle poussa la porte et entra. Une fois dedans, elle respira à fond, silencieusement, referma et resta le dos appuyé contre la porte à regarder d'un côté et de l'autre de la pièce.

La magie était passée par là de nouveau et avait encore mieux fait les choses. Le feu brûlait avec de petites flammes plus joyeuses que la veille. Beaucoup d'objets avaient été apportés dans la mansarde, ce qui changeait totalement son apparence. Sur la table, un souper était servi avec une assiette et une tasse pour Becky en plus de celles de Sarah. Le manteau de la cheminée avait disparu sous un épais napperon brodé et croulait sous les bibelots. Tout ce qui était nu et laid avait été dissimulé et rendu joli. Des draperies aux riches couleurs chatoyantes pendaient au mur qu'elles recouvraient. Des éventails étincelants étaient accrochés çà et là, et des coussins assez gros pour servir de sièges étaient posés un peu partout. Une boîte en bois recouverte d'un tapis et d'une nuée de coussins avait des allures de sofa.

Lentement, Sarah s'avança dans la chambre, s'assit et regarda autour d'elle, regarda...

« C'est exactement comme dans un conte de fées, songea-t-elle, quand un souhait se réalise. Je pourrais vouloir des diamants ou des sacs remplis d'or et alors, ils apparaîtraient. Ce ne serait pas plus surprenant que ce qu'il arrive. La seule chose que j'ai toujours voulue, moi qui ai si souvent fait semblant, c'est de voir se réaliser un conte de fées. Je suis en train de vivre un conte de fées. Et j'ai l'impression d'être moi-même une fée, et d'être capable de transformer les choses. »

Sur quoi elle se leva et tapa au mur pour appeler la prisonnière de la cellule voisine. Cette dernière ne tarda pas à paraître. Un moment, elle resta le souffle coupé.

— Ben ça alors, mamoiselle ! dit-elle.

Ce soir-là Becky s'assit à table sur un gros coussin posé sur le tapis et eut son assiette à elle, et sa tasse.

Quand Sarah alla au lit, elle découvrit qu'il était équipé d'un nouveau matelas bien épais et de gros oreillers profonds. Son ancien matelas avait été placé dans le lit de Becky avec, pour conséquence, un surcroît très appréciable de confort.

— D'où tout cela vient-il ? demanda Becky à Sarah.

— Ne nous le demandons même pas, répondit Sarah. Si ce n'était pas que j'aimerais pouvoir dire : « Merci beaucoup » à quelqu'un, j'aimerais mieux ne pas savoir. Cela rend tout encore plus beau.

À partir de ce moment-là, la vie devint merveilleuse jour après jour. Le conte de fées continua. Presque chaque jour, il se produisait quelque chose d'inédit. Tous les soirs, quand Sarah ouvrait sa porte, un nouvel élément de confort ou de décoration apparaissait, si bien que la mansarde finit par devenir une charmante petite chambre pleine d'objets charmants et luxueux. Les murs avaient disparu sous les tentures ; divers meubles pliants avaient été mis en place ; une étagère fixée au mur était remplie de livres. Tant et si bien qu'il sembla qu'on ne pouvait plus rien souhaiter d'autre.

Quand Sarah descendait, le matin, les restes du souper demeuraient sur la table et, quand elle remontait, le soir, le magicien les avait ôtés et remplacés par un autre petit souper. Miss Minchin était aussi dure et blessante que d'habitude, Miss Amélie aussi geignarde, les domestiques aussi vulgaires et grossières, Sarah était envoyée en courses quel que soit le temps, était grondée, était mise à contribution partout dans la maison ; elle avait à peine l'autorisation d'adresser la parole à Ermengarde et à Lottie ; Lavinia ricanait de l'usure de plus en plus grande de ses habits ; et les autres filles la fixaient avec curiosité quand elle apparaissait dans la salle de classe. Mais quelle importance cela avait-il comparé à l'histoire fabuleuse qu'elle vivait ? C'était encore plus mystérieux et romantique que tout ce qu'elle avait pu inventer pour se sauver du désespoir. Parfois, tandis qu'on la grondait, elle avait du mal à s'empêcher de sourire.

« Si seulement vous saviez ! » se disait-elle à elle-même.

Le confort et le bonheur dont elle jouissait la rendaient plus forte et elle savait qu'elle pouvait compter dessus. Quand elle rentrait épuisée, trempée et affamée, elle se consolait en pensant que bientôt elle serait au chaud et qu'elle aurait à manger sitôt en haut de l'escalier. Pendant les journées les plus difficiles, elle pouvait toujours s'occuper l'esprit agréablement en pensant à ce qu'elle découvrirait de neuf en ouvrant la porte de la mansarde, en se demandant quelle nouvelle merveille avait été préparée à son intention. En peu de temps, elle fut moins maigre. Ses joues prirent des couleurs et ses yeux ne lui mangèrent plus presque tout le visage.

— Sarah Crewe semble aller merveilleusement bien, fit remarquer Miss Minchin à sa sœur sur un ton désapprobateur.

— Oui, répondit la malheureuse Miss Amélie. Elle grossit. Elle commençait à ressembler à un petit corbeau décharné.

— Décharné ! s'exclama Miss Minchin, en colère. Il n'y a pas de raison pour qu'elle paraisse décharnée. Elle a toujours eu beaucoup à manger !

— Oui ! heu ! bien sûr ! répondit humblement Miss Amélie, inquiète de constater qu'une fois de plus elle avait dit ce qu'il ne fallait pas dire.

— Il est toujours désagréable de voir ce genre de chose chez une enfant de cet âge, dit Miss Minchin.

— Quel genre de chose ? risqua Miss Amélie.

— On pourrait presque appeler cela de la provocation, répondit Miss Minchin qui était ennuyée parce qu'elle savait que ce qu'elle reprochait à Sarah n'était pas de la provocation et qu'elle ne trouvait aucun autre terme déplaisant à utiliser. Le caractère de n'importe quelle autre enfant se serait trouvé brisé par les changements qu'elle a dû subir, ajouta-t-elle. Mais, ma parole, elle semble aussi peu soumise que si elle était une princesse !

— Tu te rappelles, avança l'imprudente Miss Amélie, ce qu'elle t'a dit ce jour-là dans la salle de classe à propos de ce que tu ferais si tu découvrais qu'elle en était une ?

— Non, je ne m'en souviens, pas, dit Miss Minchin. Ne raconte pas de sornettes !

Mais elle s'en souvenait parfaitement.

Tout naturellement, Becky aussi se mit à grossir et à sembler moins effrayée. Elle ne pouvait pas s'en empêcher. Elle prenait part au conte de fées secret. Elle avait deux matelas, deux oreillers, quantité de couvertures et, tous les soirs, un souper chaud. La Bastille avait disparu, il n'y avait plus de prisonnières. Deux enfants rassérénées s'asseyaient au milieu des délices. Parfois Sarah lisait un livre à voix haute, parfois elle apprenait ses leçons, parfois elle restait à contempler le feu en essayant de deviner qui pouvait bien être son ami et souhaitait lui dire quelque chose du fond du cœur.

Puis une autre chose merveilleuse survint. Un homme se présenta à la porte et laissa plusieurs paquets. Ils portaient tous cette adresse en grosses lettres : *À LA PETITE FILLE DE LA MANSARDE DE DROITE.*

Ce fut Sarah qu'on envoya ouvrir la porte pour les recevoir. Elle avait déposé les deux paquets les plus gros sur la table du hall et regardait l'adresse qu'ils portaient quand Miss Minchin, qui descendait l'escalier, la vit faire.

— Apportez ces affaires aux jeunes demoiselles à qui elles appartiennent, dit-elle sévèrement, au lieu de rester plantée là à les regarder !

— C'est à moi qu'elles appartiennent, répondit tranquillement Sarah.

— À vous ? s'écria Miss Minchin. Que voulez-vous dire ?

— Je ne sais pas d'où elles me viennent mais elles me sont adressées. Je dors dans la mansarde de droite. Becky occupe l'autre.

Miss Minchin vint près d'elle et regarda les paquets, l'air très excitée.

— Qu'y a-t-il dedans ? demanda-t-elle.

— Je ne sais pas !

— Ouvrez-les !

Sarah fit ce qu'on lui demandait. Quand elle déballa le contenu des paquets, la contenance de Miss Minchin s'altéra considérablement, tout d'un coup. Ce qu'elle vit, ce furent des vêtements divers et variés confortables et jolis ; des chaussures, des bas, des gants et un beau manteau bien chaud. Il y avait même un adorable petit chapeau et un parapluie. Le tout était de grand prix et d'excellente qualité. Sur la poche du manteau, était épinglé un morceau de papier sur lequel il était écrit : *Doit être porté tous les jours. Sera remplacé aussitôt que nécessaire.*

Miss Minchin en conçut beaucoup d'agitation. Cet étrange incident éveillait bien des échos dans son esprit sordide. Se pouvait-il, finalement, qu'elle ait commis une erreur et que l'enfant qu'elle avait crue sans soutien soit en réalité dotée d'un ami puissant quoique excentrique, peut-être quelque parent inconnu qui, l'ayant recherchée et retrouvée, avait décidé de lui venir en aide de cette façon mystérieuse et assez fantastique ? Les parents éloignés sont parfois bizarres, surtout quand il s'agit d'oncles riches et célibataires qui n'ont pas envie d'avoir des enfants qui traînent dans les parages. Un homme de ce genre préférerait veiller au bien-être de sa protégée de cette façon distante. Une telle personne, en même temps, serait sûrement assez irascible pour se fâcher facilement. S'il existait et s'il découvrait la vérité sur les vêtements trop minces et élimés, l'excès de travail, la privation de nourriture, les choses pourraient tourner à l'aigre. Miss Minchin se sentit brusquement mal à l'aise et jeta un regard en coin à Sarah.

— Eh bien ! dit-elle sur un ton de voix qu'elle n'avait plus employé avec elle depuis la mort de son père, eh bien ! quelqu'un se montre gentil avec vous. Comme ces affaires vous sont adressées et qu'elles seront remplacées quand elles seront usées, vous pouvez monter vous habiller de façon à être présentable. Puis vous descendrez apprendre vos leçons en classe. Vous n'aurez plus de courses à faire aujourd'hui !

À peu près une demi-heure plus tard, quand la porte de la salle de classe s'ouvrit et que Sarah entra, les élèves furent toutes stupéfaites.

— Mon dieu, s'exclama Jessie en poussant le coude de Lavinia. Regarde, c'est princesse Sarah !

Tout le monde la regardait et, quand Lavinia la vit, elle devint écarlate.

C'était bien princesse Sarah. Du moins, depuis l'époque où elle était une princesse, Sarah n'avait-elle plus jamais ressemblé à ce que voyait Lavinia. Celle qui avait descendu l'escalier une heure plus tôt avait disparu. Elle portait une robe du genre de celles que Lavinia avait coutume de lui envier. Elle était à la fois sombre et de couleur chaude, parfaitement coupée. Ses pieds étaient aussi petits et fins que le jour où Jessie les avait admirés. Sa chevelure, dont les lourdes boucles la faisaient ressembler quelque peu à un poney Shetland quand elles tombaient sur son visage, était retenue par un ruban.

— Peut-être quelqu'un lui a-t-il légué une fortune ! murmura Jessie. J'ai toujours pensé qu'il finirait par lui arriver quelque chose. Elle est tellement à part.

— Peut-être les mines de diamants ont-elles soudainement réapparu, dit Lavinia d'un ton acerbe. Ne lui fais pas plaisir en la fixant comme tu le fais, espèce d'idiote !

— Sarah, intervint Miss Minchin, venez vous asseoir ici.

Et tandis que l'ensemble de la classe n'en croyait pas ses yeux et se poussait du coude, Sarah vint se rasseoir à la place d'honneur qu'elle occupait jadis et se plongea dans ses livres.

Ce soir-là, quand elle eut regagné sa chambre, et qu'elle et Becky eurent pris leur souper, elle resta assise un long moment à contempler le feu avec beaucoup de sérieux.

— Est-ce que vous êtes en train d'inventer encore quelque chose, mamoiselle, demanda respectueusement Becky à voix basse.

En général, quand Sarah se taisait de la sorte tout en fixant le feu, elle était en train d'imaginer une histoire. Mais cette fois, ce n'était pas le cas ; elle secoua la tête.

— Je me demande ce que je dois faire, répondit-elle.

Becky la considéra sans mot dire, pleine de déférence. Tout ce que Sarah disait ou faisait la plongeait dans un état de profonde déférence.

— Je ne parviens pas à m'empêcher de penser à mon ami, expliqua Sarah. S'il veut rester secret, ce serait mal d'essayer de deviner qui il est. D'un autre côté, j'aimerais lui faire savoir à quel point je suis reconnaissante de ses bienfaits et combien il me rend heureuse. Les gens gentils aiment savoir qu'ils rendent les autres heureux. Cela leur importe plus que les remerciements. J'aimerais tellement, tellement... !

Elle s'interrompit net parce qu'à ce moment-là son regard se posa sur quelque chose qui se trouvait placé sur une table, dans un coin. C'était quelque chose qu'elle avait trouvé en montant dans la chambre, deux jours plus tôt. Un nécessaire à correspondance avec du papier, des enveloppes, de l'encre, des plumes.

— Pourquoi n'y ai-je pas pensé avant ! s'exclama-t-elle.

Elle se leva pour rapporter le nécessaire sur la table, près du feu.

— Je vais lui écrire, dit-elle joyeusement, et laisser la lettre sur la table. La personne qui emporte les restes la prendra peut-être aussi ! Je ne lui demanderai rien. Il ne m'en voudra pas de le remercier, j'en suis sûre !

Elle écrivit une lettre. Voici ce qu'elle disait :

J'espère que vous ne penserez pas que c'est indiscret que je vous écrive alors que vous souhaitez demeurer un secret. S'il vous plaît, croyez que je ne veux pas être malpolie ni chercher à découvrir quoi que ce soit. Je veux juste vous remercier d'être aussi gentil avec moi, si paradisiaquement gentil, et de me faire vivre comme dans un conte de fées. Je vous suis reconnaissante ; je suis tellement heureuse et Becky l'est aussi. Nous étions si seules, nous avions faim et froid, et maintenant, oh !, de penser à ce que vous avez fait pour nous ! Laissez-moi vous dire ces mots seulement. Il me semble que je devais vous les dire. Merci ! Merci ! Merci !

Le lendemain matin elle laissa la lettre sur la table et, le soir, elle avait été emportée avec les autres choses ; elle sut qu'elle était parvenue au magicien et de le savoir la rendit plus heureuse. Elle était en train de lire un de ses livres à Becky avant que chacune ne regagne son lit quand leur attention fut attirée par un léger bruit près de la lucarne. Elle leva la tête pour constater que Becky avait entendu aussi, qu'elle avait tourné la tête et qu'elle écoutait, assez nerveuse.

— Y a quelque chose là, mamoiselle, dit-elle.

— Oui, dit Sarah lentement. On dirait un chat qui essaie d'entrer.

Elle se leva pour aller jusqu'à la lucarne. On entendait un petit bruit qui ressemblait à un grattement. Elle se souvint brusquement de quelque chose et éclata de rire. Elle avait déjà eu affaire à un petit envahisseur qui s'était faufilé déjà une fois dans la mansarde. Elle l'avait aperçu au cours de cette même après-midi chez le monsieur indien, assis sur une table avec une mine désolée.

« Supposons que c'est bien le singe qui est là ! se dit-elle. Oh, j'aimerais que ce soit lui ! »

Elle monta sur une chaise, souleva doucement la fenêtre de toit, regarda dehors. Il avait neigé tout le jour et, sur la neige, tout près, était tapie une chétive silhouette tremblante dont la petite frimousse sombre se plissa pitoyablement en apercevant Sarah.

— C'est le singe, s'écria-t-elle. Il s'est échappé de la mansarde du lascar et il a vu de la lumière ici !

Becky accourut à son côté.

— Vous allez le faire rentrer, mamoiselle ? demanda-t-elle.

— Oui, répondit joyeusement Sarah. Il fait trop froid dehors pour les singes. Ils sont fragiles. Je vais l'attirer dedans !

Elle sortit la main avec précaution et se mit à lui parler d'une voix douce, comme elle avait coutume de s'adresser aux moineaux et à Melchisédech.

— Viens mon petit singe, dit-elle, je ne te ferai pas de mal !

Il savait qu'elle ne lui ferait pas de mal. Il le savait avant qu'elle ne pose sur lui sa menotte caressante pour le ramener jusqu'à elle. Il avait ressenti l'affection des humains dans les mains brunes de Ram Dass, il en ressentait dans celles de Sarah. Il la laissa le faire passer par la lucarne et, quand il se retrouva dans ses bras, il se serra contre sa poitrine avant de lever les yeux sur elle.

— Gentil singe ! Gentil singe ! dit-elle en le caressant et en baisant sa tête mignonne. Oh ! j'adore ce petit animal !

Visiblement, il était heureux de se retrouver au chaud et, quand elle se rassit en l'installant sur ses genoux, il se mit à poser tantôt sur elle, tantôt sur Becky un regard où se mêlaient intérêt et gratitude.

— Il est laid, n'est-ce pas, mamoiselle ? dit Becky.

— Il ressemble à un bébé vraiment très laid, répondit Sarah en riant. Je te demande pardon, le singe, mais je suis contente que tu ne sois pas un bébé. Ta mère n'aurait pas lieu d'être fière de toi et personne n'oserait prétendre que tu ressembles à tel ou tel membre de ta famille ! Oh ! je t'aime beaucoup !

Elle s'appuya au dossier de la chaise pour réfléchir.

— Peut-être regrette-t-il d'être aussi laid, dit-elle. Qui sait si cela lui trotte dans l'esprit ? Je me demande s'il a un esprit. Singe, mon petit chéri, est-ce que tu as un esprit ?

Mais le singe leva seulement la patte pour se gratter le sommet du crâne.

— Qu'est-ce que nous allons en faire ? demanda Becky.

— Je vais le garder dormir avec moi cette nuit et demain, j'irai le rendre au monsieur indien. Je suis désolée de te rendre, le singe, mais il faut que tu t'en ailles. Tu devrais mieux aimer ta famille ! Je n'en fais pas partie !

En allant au lit, elle lui fit une sorte de petit nid à ses pieds. Il s'y roula en boule et y dormit comme un bébé, visiblement satisfait de la façon dont il était traité.

17

C'est la fille !

L'après-midi du lendemain, trois des membres de la Grande Famille étaient assis dans la bibliothèque du monsieur indien où ils faisaient de leur mieux pour le réconforter. Ils avaient été invités à s'y rendre très précisément pour cela. Depuis un certain temps, en effet, le monsieur vivait dans l'expectative et, ce jour-là en particulier, il attendait un certain événement avec une vive inquiétude. M. Carmichael allait revenir de Moscou où son séjour s'était prolongé de semaine en semaine. En arrivant là-bas, il n'avait d'abord pas retrouvé la trace de la famille qu'il était parti chercher.

Quand il avait fini par les localiser et qu'il s'était rendu chez eux, on lui avait dit qu'ils étaient en voyage. Comme il n'était pas parvenu à les joindre, il avait décidé de rester à Moscou pour attendre leur retour.

M. Carrisford était installé dans son fauteuil à dossier inclinable et Jeannette était assise par terre près de lui. Il aimait beaucoup Jeannette. Dora avait accaparé un repose-pieds et Donald était à cheval sur la tête du tigre dont la peau ornait le tapis fait de dépouilles de bêtes sauvages. Il faut admettre qu'il la chevauchait assez vigoureusement.

— Ne fais pas autant de bruit, Donald, dit Jeannette. Quand on vient réconforter une personne qui est malade, on n'est pas supposer le faire en hurlant du plus fort de sa voix. Il vous réconforte peut-être un peu trop fort, monsieur Carrisford, ajouta-t-elle en se tournant vers le monsieur indien.

Il se contenta de lui tapoter l'épaule.

— Non, ce n'est pas le cas, répondit-il. En fait, il m'empêche de penser trop !

— Je vais me tenir tranquille, hurla Donald. Je serai aussi silencieux qu'une souris !

— Les souris ne font pas ce genre de bruit, répondit Jeannette.

Donald fit une bride avec son mouchoir et se mit à sauter de plus belle sur le tigre.

— Une bande de souris pourrait faire ce bruit, dit-il, un millier de souris le pourraient !

— Je ne crois pas que même cinq mille souris y parviendraient, dit Jeannette sévèrement. Et nous sommes censés ne pas faire plus de bruit qu'une seule souris !

M. Carrisford rit et, de nouveau, lui tapota l'épaule.

— Papa ne tardera plus beaucoup maintenant, dit-elle. Pouvons-nous parler de la fille qui est perdue ?

— Je ne crois pas que je pourrais parler d'autre chose juste maintenant, répondit le monsieur indien, en fronçant le front, l'air fatigué.

— Nous l'aimons tellement, dit Nora. Nous l'appelons la petite-princesse-qui-n'est-pas-une-fée.

— Pourquoi donc ? demanda le monsieur indien à qui les fantaisies de la Grande Famille faisaient un peu oublier ses soucis.

Ce fut Jeannette qui répondit :

— C'est parce que, bien qu'elle ne soit pas exactement une fée, elle deviendra tellement riche quand on la retrouvera qu'elle sera comme une princesse de conte de fées. Nous l'appelions la princesse-fée au début mais cela ne convenait pas tout à fait.

— Est-ce vrai, poursuivit Nora, que son papa a donné tout son argent à un ami qui l'a mis dans une mine où il y avait des diamants mais que cet ami a cru qu'il avait tout perdu et qu'il s'est enfui parce qu'il se sentait comme un voleur ?

— Mais il n'en était pas un du tout, vous savez, se hâta de préciser Jeannette.

Le monsieur indien la prit rapidement par la main.

— Non, il ne l'était pas du tout, dit-il.

— Je suis désolée pour l'ami, dit Jeannette. Je ne peux pas m'en empêcher. Il n'avait pas l'intention de le faire et cela lui a brisé le cœur. Je suis certaine que ça lui a brisé le cœur.

— Tu es une petite personne très compréhensive, Jeannette, dit le monsieur indien.

Et il garda sa petite main dans la sienne.

— Est-ce que tu as dit à M. Carrisford, hurla de nouveau Donald, à propos de la petite-fille-qui-n'est-pas-une-mendiante ? Tu lui as dit qu'elle a de jolis habits tout neufs ? P't-être qu'elle a été retrouvée alors qu'elle était perdue ?

— Voilà un fiacre ! s'exclama Jeannette. Il s'arrête devant la porte. C'est papa !

Ils coururent tous à la fenêtre, regarder.

— Oui, c'est papa ! cria Donald. Mais il n'y a pas de petite fille !

Tous les trois quittèrent la bibliothèque en coup de vent pour se précipiter dans le vestibule. C'était de cette façon qu'ils avaient toujours accueilli leur père. On put les entendre sauter, taper dans les mains, être soulevés du sol et embrassés.

M. Carrisford fit un effort pour se lever et retomba assis.

— Inutile, dit-il. Quelle épave je suis devenu !

La voix de M. Carmichael se fit entendre alors qu'il approchait de la porte :

— Non les enfants, disait-il. Vous pourrez entrer une fois que j'aurai parlé à M. Carrisford. Allez jouer avec Ram Dass.

Puis la porte s'ouvrit et il entra. Il semblait plus rose que jamais et apportait avec lui une atmosphère de fraîcheur et de bonne santé. Mais ses yeux, quand ils rencontrèrent le regard interrogateur du malade, étaient déçus et inquiets. Les deux hommes se serrèrent la main.

— Quelles nouvelles ? demanda M. Carrisford. Cette fillette qu'ont adoptée les Russes ?

— Ce n'est pas celle que nous cherchons, fut la réponse de M. Carmichael. Elle est nettement plus jeune que la fille du capitaine Crewe. Elle s'appelle Émilie Carew. Je l'ai vue et je lui ai parlé. Les Russes ont pu me fournir tous les détails.

Comme le monsieur indien semblait fatigué et triste ! Sa main lâcha celle de M. Carmichael.

— Alors les recherches doivent recommencer de zéro, dit-il. Un point c'est tout. Asseyez-vous, je vous prie.

M. Carmichael prit un siège. Peu à peu, il s'était mis à bien aimer cet homme malheureux. Lui-même allait si bien, il était tellement heureux et entouré de tant de joie et d'amour que la désolation et la mauvaise santé lui paraissaient deux choses insupportables et dignes de pitié. S'il y avait eu dans la maison ne serait-ce que le son d'une petite voix aiguë, le monsieur indien aurait été beaucoup moins esseulé. Et qu'un homme doive porter en permanence dans son cœur l'idée qu'il a fait du mal à une petite fille et qu'il l'a abandonnée lui semblait tout simplement inadmissible.

— Voyons, voyons ! dit-il de sa voix chaleureuse, nous finirons par la retrouver, bientôt !

— Il faut recommencer tout de suite, sans perdre aucun temps ! dit M. Carrisford. Avez-vous une suggestion à faire à ce propos ?

M. Carmichael ne tenait plus en place : il se leva et se mit à faire les cent pas dans la pièce. Une expression à la fois songeuse et dubitative se peignait sur le visage.

— Eh bien ! dit-il finalement, je ne sais pas ce que cela vaut. Le fait est qu'une idée m'est venue et que j'y ai réfléchi dans le train qui m'a ramené de Douvres.

— De quoi s'agit-il ? Si elle est en vie, elle est quelque part !

— Forcément, elle est quelque part. Nous avons fouillé les écoles de Paris. Laissons tomber Paris et cherchons à Londres. Voilà mon idée : chercher ici, à Londres !

— Il y a bien assez d'écoles à Londres, dit M. Carrisford.

Brusquement il sursauta, comme s'il venait de se rappeler quelque chose.

— Au fait, il y a en une dans la maison voisine !

— Alors, nous allons commencer par là ! Nous ne pouvions pas commencer plus près que dans la maison d'à côté.

— Non, dit M. Carrisford. Il y a du reste là une fillette qui m'intéresse mais ce n'est pas une élève. C'est une petite créature sombre et malheureuse, aussi différente que possible de ce que la fille de Crewe doit être.

Peut-être la magie était-elle à l'œuvre à ce moment précis, la merveilleuse magie ? Il semble bien que ce fut le cas. Toujours est-il que Ram

Dass entra dans la pièce alors que son maître était encore en train de parler, qu'il le salua respectueusement avec, peut-être, dans ses yeux noirs étincelants une touche d'excitation qu'il cachait avec peine.

— Sahib, dit-il, l'enfant est venue, l'enfant pour qui le sahib éprouve de la pitié. Elle ramène le singe qui s'est enfui et s'est réfugié dans sa mansarde, sous les toits. C'est mon idée que cela ferait plaisir au sahib de la voir et de lui parler.

— Qui est-elle ? demanda Carmichael.

— Dieu seul le sait, répondit M. Carrisford. C'est l'enfant dont je vous parlais. Une petite bonne qui travaille à l'école.

Il fit un signe de la main à Ram Dass et lui dit :

— Oui, je veux bien la voir. Va la chercher et fais-la entrer.

Il se tourna vers Carmichael :

— Pendant votre absence, je me suis senti désespéré, expliqua-t-il. Les journées étaient si sombres et si longues. Ram Dass m'a raconté les malheurs de cette petite et, à tous les deux, nous avons inventé un plan romantique pour lui venir en aide. Je suppose que c'était une puérilité mais, au moins, cela m'a donné quelque chose à quoi penser. Sans l'aide d'un Oriental aux pieds agiles comme Ram Dass, toutefois, ce plan aurait été impossible à réussir.

Puis Sarah entra dans la pièce. Elle portait le singe dans les bras, lequel n'avait pas du tout envie de se séparer d'elle si cela pouvait être évité. Il se cramponnait à elle et caquetait tandis que l'excitation de se retrouver dans la bibliothèque du monsieur indien avait fait monter le rose aux joues de Sarah.

— Votre singe s'est encore sauvé, dit-elle de sa jolie voix. Il est venu dans ma mansarde hier soir et je l'ai pris parce qu'il faisait très froid dehors. Je vous l'aurais ramené tout de suite s'il n'avait pas été aussi tard mais je sais que vous êtes malade et que vous pouviez ne pas vouloir être dérangé.

Les yeux creusés du monsieur indien s'attardèrent sur elle avec un intérêt et une curiosité redoublés.

— C'était très attentionné de votre part, dit-il.

Sarah regarda Ram Dass qui se tenait près de la porte.

— Je rends le singe au lascar ? demanda-t-elle.

— Comment savez-vous que c'est un lascar ? demanda le monsieur indien avec un demi-sourire.

— Oh ! je connais les lascars, répondit Sarah en tendant à Ram Dass le singe rebelle. Je suis née aux Indes !

Le monsieur indien se redressa sur son siège si brusquement et en montrant un tel changement dans son expression que, sur le moment, Sarah en fut vivement étonnée.

— Vous êtes née aux Indes ! s'exclama-t-il. Approchez !

Il lui tendit la main. Sarah vint à lui et posa sa main dans la sienne comme il semblait le désirer. Elle se tint immobile, son regard gris-vert croisant le sien qui semblait perplexe. Quelque chose paraissait le tracasser.

— Vous vivez juste à côté ?

— Oui, je vis dans la pension de Miss Minchin.

— Mais vous n'êtes pas une de ses élèves ?

Un étrange petit sourire triste flotta sur les lèvres de Sarah. Elle hésita un moment.

— Je ne pense pas savoir ce que je suis exactement, répondit-elle enfin.

— Pourquoi non ?

— Au début, j'étais une élève, une pensionnaire. Mais maintenant...

— Vous étiez une élève ! Mais qu'êtes-vous à présent ?

L'étrange petit sourire triste reparut sur les lèvres de Sarah.

— Je dors au grenier, à côté de la fille de cuisine, dit-elle. Je fais les courses pour la cuisinière et je fais tout ce qu'elle m'ordonne de faire. Et je fais apprendre leurs leçons aux petites.

— Interrogez-la, Carmichael, dit M. Carrisford

en se laissant retomber en arrière car ses forces l'abandonnaient. Interrogez-la, je ne le peux pas !

Le gentil gros papa de la Grande Famille savait comment on interroge les petites filles. Sarah comprit quelle expérience était la sienne quand il lui parla de sa voix douce et encourageante.

— Que voulez-vous dire par « au début », mon enfant ? demanda-t-il.

— Quand j'ai été amenée là par mon papa.

— Où est votre papa ?

— Il est mort, répondit Sarah tranquillement. Il a perdu tout son argent et il n'en est pas resté pour moi. Il n'y avait personne pour prendre soin de moi ou pour payer Miss Minchin.

— Carmichael ! s'écria le monsieur indien d'une voix forte. Carmichael !

— Il ne faut pas l'effrayer, dit M. Carmichael à voix basse en s'adressant à lui en aparté.

Puis il ajouta à voix haute à l'intention de Sarah :

— Ainsi, on vous a envoyée dans la mansarde et on a fait de vous une petite bonne. C'est bien de cela qu'il s'agit ?

— Il n'y avait personne pour s'occuper de moi, répondit Sarah. Il n'y avait plus d'argent, personne pour me réclamer.

— Comment votre père a-t-il perdu son

argent ? demanda le monsieur indien presque au bout de son souffle.

— Il ne l'a pas perdu lui-même, répondit Sarah qui s'étonnait de plus en plus. Il avait un ami qui l'aimait beaucoup et qu'il aimait beaucoup. Ce fut son ami qui lui a pris son argent. Il faisait trop confiance à son ami !

La respiration du monsieur indien se fit haletante.

— Cet ami a pu ne pas vouloir faire du mal, dit-il. Il a pu commettre une erreur !

Sarah ne savait pas combien sa jeune voix tranquille sonnait implacablement aux oreilles du monsieur indien sinon elle l'aurait adoucie, par égard pour lui.

— La souffrance a été juste la même pour mon papa, dit-elle. Il en est mort !

— Comment s'appelait votre père ? demanda le monsieur indien. Dites-le-moi !

— Son nom était Ralph Crewe, répondit Sarah assez éberluée. Le capitaine Crewe. Il est mort aux Indes.

Le visage hagard du monsieur indien se convulsa et Ram Dass bondit aux côtés de son maître.

— Carmichael ! haleta le malade, c'est la fille ! La fille !

Un moment, Sarah pensa qu'il allait mourir.

Ram Dass versa des gouttes d'une fiole et les lui fit avaler. Sarah se tenait immobile, tremblant un peu. Elle posa sur M. Carmichael un regard abasourdi.

— Quelle fille suis-je ? demanda-t-elle doucement.

— C'est l'ami de votre père, répondit M. Carmichael. N'ayez pas peur. Cela fait deux ans que nous vous cherchons.

Sarah posa une main sur son front. Sa bouche tremblait un peu. Elle parla comme dans un rêve.

— Et dire que pendant tout ce temps j'étais chez Miss Minchin. Juste de l'autre côté du mur !

18

J'ai essayé de ne jamais être autre chose !

Ce fut la charmante et si rassurante Mme Carmichael qui expliqua tout. On l'envoya chercher aussitôt et elle traversa la petite place pour prendre Sarah dans ses bras accueillants et éclaircir pour elle tout ce qui était arrivé. Le choc de cette découverte aussi inattendue avait, temporairement, eu raison des forces de M. Carrisford.

— Ma parole, répondit-il quand on suggéra d'emmener la fillette dans une autre pièce, j'aimerais ne plus jamais la perdre de vue.

— Je vais m'occuper d'elle, dit alors Jeannette, et maman sera là dans quelques minutes.

Et elle avait emmené Sarah.

— Je suis tellement contente qu'on vous ait retrouvée, lui dit-elle. Vous n'imaginez pas à quel point nous sommes tous contents que vous soyez retrouvée.

Donald, les mains dans les poches, fixa sur Sarah des yeux pensifs et pleins de regrets.

— Si je t'avais demandé ton nom quand je t'ai donné ma pièce de six pence, dit-il, tu m'aurais dit que c'était Sarah Crewe et alors on t'aurait retrouvée tout de suite !

Sur quoi, Mme Carmichael arriva. Elle avait l'air très ému et prit d'emblée Sarah dans les bras pour l'embrasser.

— Tu sembles ébahie, ma pauvre enfant, dit-elle, et il n'y a rien d'étonnant à ce que tu le sois !

Sarah ne parvenait à penser qu'à une chose.

— C'était lui ? demanda-t-elle en regardant vers la porte de la bibliothèque qu'on avait refermée, c'était lui le mauvais ami ? Oh ! dites-le-moi !

Mme Carmichael pleurait et l'embrassa de nouveau. Elle pensait qu'il fallait embrasser Sarah souvent parce qu'elle n'avait pas reçu de baisers depuis très longtemps.

— Il n'a rien fait de répréhensible, répondit-elle. Il n'a pas réellement perdu l'argent de ton papa. Il a seulement cru que c'était le cas. Et parce qu'il l'aimait beaucoup, cela l'a rendu malade à tel point que, pendant un moment, il n'a plus eu son esprit à lui. Il a failli être emporté par une fièvre cérébrale et, bien avant qu'il ne commence à s'en remettre, ton malheureux papa était mort.

— Et alors, il n'a pas su où il pourrait me trouver, murmura Sarah. Moi qui étais si près.

D'une certaine façon, elle ne parvenait pas à oublier qu'elle avait toujours été aussi près !

— Il croyait que tu étais en France, expliqua Mme Carmichael. Toujours sur de fausses pistes. Il t'a cherchée partout. Quand il t'a vu passer dans la rue, l'air si triste et si abandonné, il n'a pas pensé un seul instant que tu pouvais être la petite fille de son ami. Pourtant, parce que tu étais une petite fille, il s'est senti peiné pour toi et il a essayé de te rendre plus heureuse. Il a dit à Ram Dass de grimper dans ta mansarde et d'essayer de la rendre confortable.

Sarah eut un sursaut joyeux et sa physionomie changea.

— C'est Ram Dass qui a tout apporté ? s'écria-t-elle. Il lui a dit de le faire ? Il a fait en sorte que le rêve devienne réalité ?

— Oui, ma chérie ! Il est gentil et bon. Il se

désolait pour toi, il s'inquiétait pour la pauvre Sarah Crewe qui était perdue !

La porte de la bibliothèque s'ouvrit et M. Carmichael parut ; il appela Sarah d'un geste.

— M. Carrisford va déjà mieux, dit-il. Il veut que vous veniez auprès de lui.

Sarah n'attendit pas. Quand le monsieur indien la regarda entrer, il vit que son petit visage était tout illuminé. Elle s'arrêta devant le fauteuil, les mains appuyées sur la poitrine.

— Vous m'avez envoyé les choses, dit-elle d'une voix joyeuse et pleine d'émotion, toutes les belles choses !

— Oui, ma pauvre enfant, répondit-il.

Il était affaibli et comme brisé par sa longue maladie mais il y avait dans le regard qu'il posait sur elle une expression qu'elle avait souvent vue dans celui de son père : une expression d'amour, l'envie de la prendre dans ses bras. Cela l'incita à s'agenouiller près de lui, comme elle avait l'habitude de s'agenouiller auprès de son père quand ils étaient les amis les plus proches et les plus aimants du monde.

— Alors, c'est vous qui êtes mon ami, dit-elle. Mon ami !

Elle enfouit son visage dans la main amaigrie et la baisa encore et encore.

— Il sera de nouveau lui-même en trois

semaines, dit M. Carmichael à son épouse. Voyez quelle meilleure mine il a !

De fait, il semblait changé. La petite dame était là et il avait quantité de choses nouvelles à penser et à planifier. Pour commencer, il fallait avoir une entrevue avec Miss Minchin pour lui annoncer le changement de fortune que venait de connaître sa jeune pensionnaire.

Sarah ne retournerait pas du tout à la pension. Le monsieur indien était intraitable là-dessus. Elle resterait où elle était et ce serait M. Carmichael qui irait trouver Miss Minchin.

— Je suis contente de ne pas avoir à y retourner, dit Sarah. Elle va être très en colère. Elle ne m'aime pas, bien que, peut-être ce soit de ma faute car je ne l'aime pas non plus.

Assez curieusement, Miss Minchin fit en sorte que M. Carmichael n'eut pas à se rendre chez elle. En fait, elle vint chercher elle-même son élève. Elle avait fait appeler Sarah pour lui confier une corvée et sa demande avait obtenu une réponse qui l'avait laissée stupéfaite. Une des femmes de chambre avait vu Sarah sortir discrètement de la maison avec quelque chose caché sous le manteau. Elle l'avait vue grimper le perron de la maison d'à côté et y entrer.

— Qu'est-ce que cela veut dire ? avait crié Miss Minchin à Miss Amélie.

— Je n'en sais absolument rien, avait répondu Miss Amélie. À moins qu'elle n'ait fait sa connaissance parce qu'il a vécu aux Indes.

— Ce serait vraiment se jeter à sa tête et essayer d'attirer sa sympathie de la plus impertinente des façons, dit Miss Minchin. Cela fait deux heures qu'elle se trouve dans cette maison ! Je ne permettrai pas pareille outrecuidance ! Je vais aller m'informer et présenter des excuses pour son intrusion !

Sarah était assise sur un repose-pieds aux genoux de M. Carrisford en train d'écouter l'une des innombrables choses qu'il jugeait nécessaire de lui expliquer quand Ram Dass vint annoncer l'arrivée de la visiteuse. Sarah se leva machinalement et devint toute pâle, mais M. Carrisford nota qu'elle se tenait tranquille et qu'elle ne manifestait aucun signe de terreur infantile.

Miss Minchin entra dans la pièce avec beaucoup de dignité et de raideur. Elle était bien habillée et se montra d'une politesse plutôt protocolaire.

— Je suis désolée de déranger M. Carrisford, commença-t-elle, mais je lui dois des explications. Je suis Miss Minchin, la propriétaire de la Pension Sélecte pour Jeunes Filles qui se trouve dans la maison voisine.

Le monsieur indien la scruta du regard un

moment, sans mot dire. C'était un homme dont le naturel était assez vif et il ne voulait pas céder trop vite à la colère.

— Ainsi, vous êtes Miss Minchin ? dit-il.

— C'est bien moi !

— Dans ce cas, repartit le monsieur indien, vous êtes arrivée juste à temps. Mon homme de loi, M. Carmichael, était sur le point de partir vous rendre visite.

M. Carmichael salua profondément sans rien dire et Miss Minchin se mit à les regarder alternativement, lui et M. Carrisford, d'un air stupéfait.

— Votre homme de loi ! dit-elle. Je ne comprends pas. Je viens juste de découvrir qu'une de mes élèves a eu l'effronterie de faire intrusion chez vous, une élève que je garde par charité ! Je venais vous dire qu'elle est venue chez vous sans que je le sache.

Elle se tourna alors vers Sarah.

— Rentrez à la maison, ordonna-t-elle sur le ton de l'indignation. Vous serez sévèrement punie ! Rentrez à la maison tout de suite !

Le monsieur indien attira Sarah contre lui et lui tapota la main.

— Elle ne s'en va pas !

Miss Minchin eut l'impression qu'elle avait perdu le sens.

— Elle ne s'en va pas ! répéta-t-elle.

— Non, dit M. Carrisford. Elle ne rentre pas à la « maison » puisque c'est ce nom que vous donnez à votre établissement. Sa maison, dorénavant, c'est ici, chez moi !

Miss Minchin fit un pas en arrière sous l'effet conjugué de la surprise et de l'indignation.

— Chez vous ? Ici ! Qu'est-ce à dire ?

— Soyez gentil d'expliquer la situation, Carmichael, dit le monsieur indien, et finissez-en le plus vite possible.

Il fit se rasseoir Sarah et prit ses mains dans les siennes, ce qui était aussi une habitude qu'avait jadis son papa.

De sa façon calme et tranquille, qui était celle d'un homme qui connaît parfaitement son affaire et toutes ses implications légales, M. Carmichael donna les explications nécessaires à Miss Minchin laquelle, en femme d'affaires, les comprit aussitôt, à défaut de les aimer vraiment.

— M. Carrisford, madame, était l'ami intime du capitaine Crewe. Il fut son partenaire dans de très gros investissements. La fortune que le capitaine Crewe était supposé avoir perdue ne l'était pas. Elle se trouve entre les mains de M. Carrisford.

— La fortune ! s'écria Miss Minchin qui avait totalement perdu ses couleurs. La fortune de Sarah !

— Ce sera effectivement la fortune de Sarah, dit froidement M. Carmichael. En fait, elle lui appartient déjà, outre qu'elle s'est très considérablement augmentée. Les mines de diamants ont rapporté énormément !

— Les mines de diamants ! pantela Miss Minchin.

Si ce qu'elle entendait était vrai, rien de plus horrible, songeait-elle, ne lui était arrivé depuis sa naissance !

— Eh oui ! les mines de diamants, répéta M. Carmichael avec un grand sourire qui n'était guère professionnel. Il n'y a pas beaucoup de princesses, Miss Minchin, qui soient plus riches que Sarah Crewe, cette élève que vous gardiez par charité. M. Carrisford l'a recherchée pendant deux ans, il l'a retrouvée, il la garde avec lui.

Sur quoi il fit asseoir Miss Minchin pour lui expliquer, avec tous les détails utiles, que l'avenir de Sarah était des mieux assurés, que ce qui semblait perdu avait été retrouvé au décuple et qu'elle avait désormais en M. Carrisford un tuteur en même temps qu'un ami.

Miss Minchin n'était pas une femme intelligente. Elle fut assez sotte pour faire une tentative désespérée visant à regagner ce qu'elle avait perdu – elle ne pouvait pas s'empêcher de le voir – par bêtise et par matérialisme.

— Il l'a retrouvée alors que je m'occupais d'elle, protesta-t-elle. J'ai tout fait pour elle. Sans moi, elle serait morte de faim dans la rue.

Là, le monsieur indien perdit patience.

— Pour ce qui est de mourir de faim, dit-il, elle l'aurait fait aussi confortablement dans la rue que dans votre galetas !

— Le capitaine Crewe l'a confiée à mes soins ! tenta d'argumenter Miss Minchin. Elle doit rester chez moi jusqu'à sa majorité ! Elle peut devenir une pensionnaire à nouveau ! Elle doit terminer son éducation. La loi me donnera raison !

— Allons ! Allons ! Miss Minchin, intervint M. Carmichael, la loi ne fera rien de tel. Si Sarah elle-même voulait retourner avec vous, j'ose affirmer que M. Carrisford ne s'y opposerait pas. Mais cela reste du ressort de Sarah.

— À ce compte, dit Miss Minchin, j'en appelle à Sarah ! Je ne vous ai pas gâtée, peut-être, dit-elle maladroitement à la fillette, mais vous savez que votre papa était très satisfait de vos progrès. Et – hum ! – je vous ai toujours beaucoup aimée.

Les yeux gris-vert de Sarah se posèrent sur elle avec cette expression calme et sereine qu'elle détestait particulièrement.

— Vraiment, Miss Minchin ? dit-elle. Je ne le savais pas !

Miss Minchin devint toute rouge et se raidit.

— Vous auriez dû le savoir ! dit-elle. Mais les enfants ne savent malheureusement jamais tout ce qu'on fait pour leur bien. Miss Amélie et moi avons souvent dit que vous êtes l'élève la plus douée de notre école. Ferez-vous votre devoir vis-à-vis de votre papa en revenant à la maison avec moi ?

Sarah fit un pas vers elle. Elle se rappelait ce jour où on lui avait dit qu'elle n'avait plus personne qui puisse prendre soin d'elle et qu'elle se trouvait en danger d'être jetée à la rue ; elle pensait aux longues heures de froid et de famine qu'elle avait passées au grenier, seule avec Émilie et Melchisédech. Elle regarda Miss Minchin droit dans les yeux.

— Vous savez pourquoi je n'irai pas avec vous, Miss Minchin, dit-elle. Vous le savez parfaitement !

Le visage contracté et rouge de colère de Miss Minchin devint encore plus rouge.

— Vous ne reverrez jamais vos camarades, commença-t-elle. Je veillerai à ce qu'Ermengarde et Lottie soient gardées loin de vous !

M. Carmichael l'arrêta poliment mais fermement.

— Excusez-moi, dit-il, mais elle verra qui elle voudra. Les parents des amies de Miss Crewe ne les empêcheront pas de lui rendre visite chez son tuteur. M. Carrisford y veillera.

Il faut dire que là, Miss Minchin elle-même hésita. C'était bien pire que l'oncle célibataire qui aurait eu mauvais caractère et se serait aisément offusqué de la façon dont on traitait sa nièce. Une femme terre à terre comme elle pouvait s'en convaincre très facilement, peu de gens empêcheraient leur fille de rester amie avec la petite héritière de mines de diamants. Et si M. Carrisford décidait de raconter à certains de ses clients toutes les misères qu'elle avait fait subir à Sarah, beaucoup de choses désagréables pourraient en résulter.

— Vous ne vous êtes pas lancé dans une tâche facile, dit Miss Minchin aigrement en tournant les talons pour quitter la bibliothèque, vous le découvrirez très bientôt. Cette enfant n'est ni fiable ni reconnaissante. Quant à vous, ajouta-t-elle à l'intention de Sarah, je suppose que vous avez de nouveau le sentiment d'être une princesse.

Sarah baissa les yeux et rougit légèrement car elle pensait qu'au début, ses fantaisies préférées pourraient être difficiles à comprendre pour des étrangers, même si ces derniers étaient gentils.

— J'ai essayé de ne jamais être autre chose, répondit-elle à voix basse. Même quand j'avais faim et froid, j'ai essayé.

— Maintenant, ce ne sera même plus la peine d'essayer, dit Miss Minchin avec aigreur tandis que Ram Dass la reconduisait à la porte.

Elle retourna chez elle, alla dans son salon privé et fit aussitôt appeler Miss Amélie. Elle resta enfermée avec elle tout le reste de l'après-midi et il faut admettre que l'infortunée Miss Amélie passa plus d'un mauvais quart d'heure ! Elle versa une belle quantité de larmes et s'essuya les yeux abondamment. Une remarque malheureuse qu'elle risqua faillit presque lui valoir des gifles de la part de son aînée mais, en fait, les choses tournèrent tout à fait différemment.

— Je ne suis pas aussi intelligente que toi, dit-elle à sa sœur, et j'ai toujours peur de dire les choses parce que tu te mets en colère. Peut-être que, si j'étais moins timorée, tout irait mieux, pour l'école et pour nous-mêmes. Je puis dire que j'ai souvent pensé qu'il aurait beaucoup mieux valu que tu traites Sarah Crewe moins durement et qu'elle ait des vêtements plus convenables et plus confortables. Je savais qu'on la faisait travailler trop dur pour une enfant de son âge, et je savais aussi qu'elle mourait à moitié de faim.

— Comment peux-tu dire une chose pareille ! s'exclama Miss Minchin.

— Je ne sais pas comment j'ose le dire, répondit Miss Amélie avec une espèce de courage désespéré, mais maintenant que j'ai commencé, je puis aussi bien finir, quoi qu'il m'arrive ensuite ! Cette enfant était une enfant douée et bonne, et elle t'aurait rendu toutes les gentillesses que tu aurais eues pour elle. Mais tu n'en as jamais eu la moindre. Le fait est qu'elle était trop intelligente pour toi et que tu l'as toujours détestée pour cette raison. Elle voyait très clair en nous, toutes les deux !

— Amélie ! s'écria l'aînée qui s'étouffait de rage et qui semblait prête à la calotter d'importance comme elle avait l'habitude de le faire avec Becky.

Seulement la déception de Miss Amélie l'avait rendue assez hystérique pour qu'elle ne se soucie pas de ce qui pouvait arriver.

— Oui, elle voyait clair ! cria-t-elle. Elle voyait dans notre jeu ! Elle a su que tu es une femme intéressée et sans cœur, et que je suis une écervelée et une faible, et que nous avons été toutes les deux assez vulgaires et cupides pour nous traîner à ses genoux à cause de son argent, puis pour nous comporter mal parce qu'elle ne l'avait plus et ce bien qu'elle ait continué tout le temps à se conduire comme une petite princesse, même quand elle est presque devenue une mendiante ! Elle s'est conduite vraiment, vraiment comme une princesse !

L'hystérie prit alors le dessus et la malheureuse femme se mit à rire et à pleurer en même temps, et à se balancer d'avant en arrière.

— Et maintenant, tu l'as perdue ! cria-t-elle sauvagement. Une autre école va l'avoir, elle et tout son argent ! Et si elle était comme tous les autres enfants, elle raconterait comment on l'a traitée ici et toutes nos pensionnaires nous seraient retirées et nous serions ruinées ! Et ce qui arrive est bien fait pour nous ! Mais surtout, tu le mérites bien plus que moi, parce que tu es une femme sans cœur, Maria Minchin, tu es une femme dure, égoïste et terre à terre !

Dans ses crises d'étouffements et de fous rires, elle risquait de faire tant de bruit que sa sœur fut obligée de s'occuper d'elle et de lui faire respirer des sels pour la calmer au lieu de déverser sur elle la colère que lui causait son audace.

À partir de ce moment-là, il faut le signaler, l'aînée des sœurs Minchin respecta un peu plus sa cadette qui, bien qu'elle parût sans cervelle, n'en était pas autant dépourvue qu'il le semblait et pouvait donc dire leurs quatre vérités à des gens qui n'avaient aucune envie de les entendre.

Le soir, les élèves se réunirent devant le feu, dans la salle de classe comme c'était l'habitude avant d'aller au lit. Ermengarde arriva, une lettre, à la main. Une expression étrange illuminait son visage rond. C'était étrange car cette expression combinait le contentement et un très vif étonnement, comme ceux qui suivent un choc inattendu.

— Qu'y a-t-il ? lui demandèrent aussitôt deux ou trois voix.

— Cela a-t-il quelque chose à voir avec le tapage de cette après-midi, demanda Lavinia qui grillait d'impatience. Il y a eu un tel raffut dans le salon de Miss Minchin ! Miss Amélie a piqué une crise d'hystérie et a dû ensuite aller se coucher !

Ermengarde leur répondit lentement, comme si elle était encore à moitié ébahie.

— Je viens juste de recevoir une lettre de Sarah, dit-elle en la montrant pour qu'elles sachent toutes qu'elle était longue.

— De Sarah ! s'exclamèrent en chœur toutes les voix.

— Où est-elle, glapit presque Lottie.

— Dans la maison d'à côté, chez le monsieur indien.

— Où ? Où ? Est-ce qu'on l'a renvoyée ? Est-ce que Miss Minchin le sait ? Le tapage était-il dû à ça ? Pourquoi a-t-elle écrit ? Dis-nous ! Dis-nous !

C'était vraiment Babel, et Lottie se mit à pleurer plaintivement.

Ermengarde leur répondit lentement, comme si

elle était encore partiellement absorbée par ce qui, pour le moment, lui semblait le plus important et expliquait tout.

— Il y avait des mines de diamants ! dit-elle fortement.

Des bouches rondes et des yeux ronds attendirent la suite.

— Elles existaient bien, poursuivit-elle. Il y a eu une erreur à leur sujet. Quelque chose s'est produit et M. Carrisford a pensé qu'ils étaient ruinés.

— Qui c'est, M. Carrisford ? cria Jessie.

— Le monsieur indien. Le capitaine Crewe l'a cru aussi et il est mort. M. Carrisford a eu une fièvre cérébrale et il est presque mort lui aussi. Il ne savait pas où était Sarah. Il s'est avéré qu'il y avait des millions et des millions de diamants dans les mines et la moitié appartient à Sarah. Ils lui appartenaient déjà quand elle vivait dans la mansarde avec personne d'autre comme ami que Melchisédech et qu'elle obéissait aux ordres de la cuisinière. M. Carrisford l'a retrouvée cette après-midi. Il la garde chez lui et elle ne reviendra jamais plus ici et elle sera encore plus une princesse qu'elle ne l'a jamais été, des centaines et des centaines de milliers de fois encore plus, et moi, je vais la voir demain après-midi. Voilà !

Miss Minchin elle-même aurait eu du mal à

endiguer le tumulte qui suivit et, bien qu'elle entendît du bruit, elle ne s'y risqua pas. Elle n'était pas d'humeur à affronter quoi que ce soit en plus de ce qu'elle avait subi dans son salon, quand Miss Amélie avait pleuré. Elle savait que, d'une façon mystérieuse, la nouvelle avait déjà traversé le mur et que chaque domestique, chaque enfant en parlerait en allant au lit.

En sorte que, jusqu'à près de minuit, toute la pension, comprenant que les règles étaient provisoirement abolies, s'agita autour d'Ermengarde dans la salle de classe pour l'entendre lire et relire la lettre qui contenait une histoire aussi merveilleuse que celles que Sarah inventait, une histoire qui avait le charme supplémentaire d'être arrivée justement à Sarah et à ce mystérieux monsieur indien qui vivait dans la maison d'à côté.

Becky avait appris la nouvelle aussi ; elle s'arrangea pour monter de bonne heure. Elle voulait s'éloigner des gens et contempler la petite chambre magique une dernière fois. Elle ignorait ce qu'elle deviendrait mais il était peu probable qu'elle resterait telle quelle au bénéfice de Miss Minchin. Tout serait emporté et, à nouveau, le grenier serait vide et nu.

Tout heureuse qu'elle était pour Sarah, elle grimpa la dernière volée de marches avec une boule dans la gorge et des larmes qui lui brouillaient la vue. Il n'y aurait pas de feu ce soir, pas de lampe rose, pas de souper et, surtout, pas de princesse assise dans la lumière en train de lire ou de raconter une histoire. Pas de princesse !

Elle étouffa un sanglot, poussa la porte de la mansarde, et ne put retenir un petit cri de surprise.

La lampe illuminait la pièce, le feu brûlait, le dîner attendait. Ram Dass était là, debout, et souriait de la surprise qui se lisait sur le visage de Becky.

— Mam'selle sahib s'est souvenue, dit-il. Elle a tout dit au sahib. Elle voulait que vous sachiez la chance qu'elle a eue. Il y a une lettre sur le plateau. Elle a écrit. Elle n'a pas voulu que vous alliez au lit malheureuse. Le sahib veut que vous veniez chez lui demain. Vous serez la dame de compagnie de mam'selle sahib. Ce soir, je reprends toutes ces choses par le toit.

Ayant dit tout ça avec un grand sourire, il fit une courbette et disparut sans bruit par la lucarne, avec une agilité qui prouva à Becky qu'il avait souvent agi de même auparavant.

19

Anne

Jamais la nursery de la Grande Famille n'avait connu semblable joie. Jamais on n'y avait rêvé de délices semblables à celles que procurait la connaissance qu'on venait de faire de la petite-fille-qui-n'est-pas-une-mendiante. Ses souffrances et ses aventures à elles seules en faisaient une possession sans prix. Chacun voulait qu'elle raconte et raconte encore toutes les aventures qui avaient été les siennes. Quand on est assis près du feu dans une grande pièce bien éclairée, il est délicieux d'entendre à quel point il fait froid dans un grenier. Il faut admettre que la mansarde faisait les délices de tous et que son froid et sa nudité devinrent tout à fait insignifiants quand on entendit parler de Melchisédech, des moineaux et de tout ce qu'on pouvait voir une fois qu'on était monté sur la table et qu'on avait passé la tête et les épaules par la lucarne.

Bien sûr, ce qu'on aima le mieux ce fut l'histoire du banquet et du rêve qui s'était réalisé. Sarah la raconta pour la première fois le lendemain du jour où elle fut retrouvée. Plusieurs membres de la Grande Famille vinrent prendre le thé avec elle. Ils s'installèrent sur des coussins ou sur le tapis et Sarah la raconta à sa façon pendant que le monsieur indien l'écoutait et l'observait. Quand elle eut terminé, elle le regarda et lui posa la main sur le genou.

— C'est ma version, dit-elle. N'allez-vous pas nous raconter la vôtre, oncle Tom ?

Il lui avait demandé de toujours l'appeler oncle Tom.

— Je ne connais pas votre version et elle doit être belle ! ajouta-t-elle.

Alors il raconta comment, alors qu'il était assis, triste, malade et irritable, Ram Dass avait essayé de le distraire en lui décrivant les passants. Il y avait une enfant qui passait plus souvent que n'importe qui d'autre. Il avait commencé à s'intéresser à elle, en partie, sans doute, parce qu'il pensait sans cesse à une petite fille, en partie parce que Ram Dass lui avait raconté l'équipée du singe dans la mansarde. Il lui avait décrit l'aspect pitoyable de l'endroit et le comportement de l'enfant qui ne semblait pas appartenir à la classe des petites bonnes et des domestiques. Petit à petit, Ram Dass avait fait des découvertes sur les misères de sa vie. Il avait découvert combien il était facile de parcourir les quelques mètres jusqu'à la lucarne, sur le toit, et cela avait été le début de tout ce qui avait suivi.

— Sahib, avait-il dit un jour, je pourrais passer sur les ardoises et faire du feu pour elle pendant qu'elle est dehors, à faire les courses. Quand elle rentrerait mouillée et frigorifiée, si elle trouvait un feu qui brûle, elle penserait que c'est un magicien qui l'a allumé !

L'idée était tellement extravagante qu'un sourire avait illuminé le visage triste de M. Carrisford. Alors, Ram Dass avait été tellement ravi qu'il avait expliqué à son maître combien il serait simple de faire encore quantité d'autres choses. Il avait manifesté une imagination et un plaisir enfantins, et la préparation du déménagement par le toit avait rempli d'intérêt bien des journées qui autrement se seraient traînées, pleines de morosité.

Le soir du banquet qui avait mal tourné, Ram Dass avait attendu avec ses paquets dans son propre grenier. Et la personne qui devait l'aider avait attendu avec lui, aussi intéressée que lui par cette curieuse aventure. Ram Dass était allongé sur les ardoises, en train de regarder par la lucarne, quand le banquet avait connu sa fin désastreuse. Il avait attendu d'être certain que Sarah dormait profondément et alors, muni d'une lanterne sourde, il s'était glissé dans la chambrette tandis que son compagnon, qui était resté à l'extérieur, lui faisait passer les choses. Chaque fois que Sarah avait bougé, même faiblement, Ram Dass avait fermé la lanterne et s'était allongé au sol.

Cela, et beaucoup d'autres détails tout aussi excitants, les enfants le découvrirent en posant un millier de questions.

— Je suis tellement heureuse, dit Sarah, que ce soit vous, mon ami !

Il n'y eut jamais deux amis aussi amis qu'ils le devinrent. En fait, ils semblaient se convenir de façon merveilleuse. Le monsieur indien n'avait jamais eu de compagnie qu'il ait aimée autant que celle de Sarah. En l'affaire d'un mois, il devint, comme l'avait prédit M. Carmichael, un homme nouveau. Il était toujours amusé et intéressé, et commença à éprouver un réel plaisir à posséder ces richesses dont il avait toujours trouvé qu'elles constituaient un fardeau. Il y avait tellement de choses charmantes à planifier pour Sarah. Un petit jeu s'était créé entre eux, selon lequel il était un magicien et c'était un de ses plaisirs d'inventer sans cesse des choses pour la surprendre. Elle trouvait de belles fleurs nouvelles qui poussaient dans sa chambre, de petits cadeaux originaux dissimulés sous son oreiller, et une fois, alors qu'ils étaient assis ensemble, le soir, il entendit le grattement d'une lourde patte contre la porte. Quand Sarah alla voir ce que c'était, elle découvrit un gros chien, un splendide vautre [1] russe avec un gros collier d'or et d'argent qui portait cette inscription : *Je m'appelle Boris et je suis au service de princesse Sarah.*

Il n'y avait rien que le monsieur indien aimait autant qu'évoquer la petite princesse en haillons. Les après-midi au cours desquelles la Grande Famille, Ermengarde et Lottie se joignaient à eux pour s'amuser étaient vraiment délicieuses. Mais les heures que Sarah et le monsieur indien passaient assis seuls, à parler ou à lire, avaient leur charme bien à elles. Alors qu'elles passaient, bien des choses intéressantes survenaient.

Un soir, en levant la tête de son livre, M. Carrisford remarqua que sa petite compagne n'avait pas

1. Vautre : chien utilisé pour la chasse au « gibier noir », l'ours et le sanglier.

bougé depuis un moment et qu'elle regardait fixement le feu.

— Qu'es-tu en train d'imaginer, Sarah ? demanda-t-il.

Sarah leva la tête, les joues vivement colorées.

— Je m'imaginais, dit-elle, et surtout je repensais à ce jour où j'avais tellement faim et à une petite fille que j'ai vue.

— Mais il y a eu beaucoup de jours où tu as eu faim, dit le monsieur indien avec une nuance de tristesse dans la voix. Quel jour de famine était-ce ?

— J'oubliais que vous ne le saviez pas, dit-elle. C'est le jour où le rêve est devenu vrai.

Elle lui raconta toute l'histoire, les quatre pence trouvés dans le caniveau et la gamine qui avait plus faim qu'elle. Elle raconta simplement, avec aussi peu de mots que possible mais le monsieur indien éprouva le besoin de placer sa main en écran devant les yeux et de regarder le tapis.

— J'imaginais une espèce de plan, ajouta-t-elle quand elle eut terminé son récit. Je pensais que j'aimerais bien faire quelque chose.

— Qu'est-ce ? questionna M. Carrisford. Tu peux faire tout ce que tu veux, princesse.

— Je me demandais, commença Sarah en hésitant, voyez-vous, vous dites que j'ai tellement d'argent, je me demandais si je pourrais aller chez la boulangère et lui dire que, si des enfants affamés, en particulier les jours où il fait très mauvais, viennent s'asseoir devant sa boutique ou encore regardent dans sa vitrine, eh bien ! lui dire de les appeler et de leur donner quelque chose à manger. Elle m'enverrait la facture. Pourrais-je faire cela ?

— Tu le feras dès demain matin, dit le monsieur indien.

— Merci ! dit Sarah. Vous voyez, je sais ce que c'est que d'avoir faim et c'est bien difficile, quand on ne peut même pas faire semblant de croire que ce n'est pas vrai.

— Oui, oui, ma chérie ! dit le monsieur indien. Oui, ce doit être dur. Essaie de l'oublier. Viens t'installer sur le tabouret, près de moi, et pense seulement que tu es une princesse.

— Oui, dit Sarah, et je peux distribuer des brioches et du pain au peuple.

Le lendemain matin, Miss Minchin, en regardant par la fenêtre, vit la chose que, peut-être, elle aimait le moins voir. L'attelage du monsieur indien, avec ses grands chevaux, s'arrêta devant la porte de la maison voisine. Son propriétaire et une petite silhouette chaudement emmitouflée dans de riches fourrures descendirent les marches pour s'y installer. La petite silhouette était familière à Miss Minchin et lui rappelait les jours passés. Elle était suivie par une autre petite silhouette familière dont la vision l'irrita au plus haut point. C'était Becky qui, dans son rôle de dame de compagnie attentionnée, accompagnait toujours sa jeune maîtresse en voiture et portait ses affaires et ses paquets. Le visage de Becky était déjà devenu rond et rose.

Un peu plus tard l'attelage fit halte devant la boulangerie et ses occupants en sortirent, assez curieusement au moment précis où la boulangère posait dans sa vitrine un plateau de petits pains aux raisins tout chauds.

Quand Sarah entra dans la boutique, la femme se retourna pour la regarder et, abandonnant les petits pains, alla se poster derrière le comptoir. Pendant un moment elle scruta Sarah avec une attention soutenue. Puis son visage sympathique s'illumina.

— Je suis certaine de me souvenir de vous, mademoiselle, dit-elle. Et pourtant...

— Oui, vous m'avez donné six petits pains aux raisins pour quatre pence et...

— Et vous en avez donné cinq à une petite mendiante, l'interrompit la boulangère. Je ne l'ai jamais oublié. Je ne vous avais pas reconnue tout d'abord.

Elle se tourna vers le monsieur indien, dit à son intention :

— Je vous demande pardon, monsieur, mais il n'y a pas beaucoup de jeune gens qui remarquent un visage affamé de cette façon. J'y ai repensé bien souvent. Pardonnez ma liberté, ajouta-t-elle en s'adressant de nouveau à Sarah, mais vous semblez plus pimpante et mieux... mieux que quand vous, heu ! vous...

— Je vais mieux, merci, dit Sarah, et je suis plus heureuse. Je suis venue vous demander de faire quelque chose pour moi.

— Moi, mademoiselle, dit la boulangère avec un grand sourire. Dieu vous bénisse ! Que puis-je faire ?

Alors Sarah s'appuya au comptoir et fit sa petite proposition relative aux jours de mauvais temps, aux enfants abandonnés affamés et aux petits pains aux raisins. La femme l'écouta en la regardant avec une expression d'étonnement.

— Eh bien ! Dieu me bénisse ! dit-elle de nouveau quand elle eut tout entendu. C'est un plaisir pour moi de le faire ! Je suis une femme qui travaille et je ne peux pas me permettre de faire grand-chose pour mon propre compte, surtout que des malheureux, il y en a de tous les côtés. Mais si vous me le permettez, je peux dire que j'en ai distribué des bouts de pain depuis cette après-midi humide, juste en pensant à vous et à quel point vous étiez mouillée et vous aviez froid et faim. Et pourtant vous avez donné vos petits pains chauds comme si vous étiez une princesse !

Le monsieur indien sourit en l'entendant, et Sarah l'imita en se souvenant de ce qu'elle s'était dit quand elle avait posé les petits pains sur les genoux de la fillette affamée.

— Elle avait l'air d'avoir tellement faim, dit Sarah. Elle avait encore plus faim que moi.

— Elle mourait de faim, dit la boulangère. Elle m'a souvent dit depuis comment elle s'était assise là devant, dans la boue, avec l'impression qu'un loup affamé lui dévorait son pauvre petit ventre d'enfant !

— Oh ! s'écria Sarah, vous l'avez revue depuis ? Savez-vous où elle est ?

— Oui je le sais, répondit la femme avec un sourire encore plus aimable. Elle est là, dans ma petite arrière-boutique, mademoiselle, et ça fait un mois qu'elle y est. Elle est en train de devenir une fille convenable et pleine de bonnes intentions et qui m'aide tellement à la boutique comme dans la cuisine que c'en est à peine croyable en sachant comment elle a vécu.

Elle alla jusqu'à la porte de l'arrière-boutique et appela. La minute suivante, une fillette apparut et la suivit derrière le comptoir. C'était bien la petite mendiante, propre et décemment vêtue et qui avait l'air de ne pas avoir eu faim depuis déjà longtemps. Elle semblait timide mais avait un visage agréable maintenant qu'elle n'était plus une sauvageonne. Elle reconnut Sarah tout de suite et se mit à la regarder comme si elle ne pourrait jamais la regarder assez.

— Vous voyez, dit la boulangère, je lui ai dit de revenir quand elle aurait faim et, quand elle est revenue, je lui ai donné des petites choses à faire. Alors j'ai découvert qu'elle était de bonne volonté et je me suis mise à bien l'aimer. Et finalement, je lui ai donné un emploi et un toit ; elle m'aide, se conduit bien et elle est aussi reconnaissante qu'on peut l'être. Elle s'appelle Anne. Elle n'a pas d'autre nom.

Les deux enfants restèrent à se regarder mutuellement pendant quelques minutes. Puis Sarah sortit la main de son manchon et la tendit à travers le comptoir. Anne la prit et elles se regardèrent droit dans les yeux.

— Je suis tellement contente, dit Sarah. Et je viens juste de penser à une chose. Peut-être Mme Brown te laissera-t-elle distribuer les petits pains aux raisins aux enfants. Tu aimerais peut-être le faire parce que tu sais ce que c'est que d'avoir faim, toi aussi.

— Oui, mademoiselle, dit la fille.

Et, d'une certaine façon, Sarah eut l'impression qu'elle la comprenait même si elle disait si peu de choses et si elle se contentait de rester immobile et de regarder, de regarder alors qu'elle sortait de la boulangerie avec le monsieur indien et qu'ils remontaient dans la voiture qui s'éloigna.

TABLE

Composition PCA. 44400 REZE

Imprimé par CAYFOSA QUEBECOR à Barcelone (Espagne)

32-2694-1/01 – ISBN : 978-2-01-322694-3
Loi n° 49-956 du 16 juillet 1949 sur les publications destinées à la jeunesse
Dépôt légal : Juillet 2008